Le
Temps
avec Toi

上学途中【The Weather With You】

学校前门全景

学校门口公交站

路边摊

图书馆远景

【The Weather With You】

【The Weather With You】

最后一话走的路

最后一话的公园

Le Temps avec Toi

曾有你的天气

【The Weather With You】

夏茗悠 著

新世界出版社

图书在版编目（CIP）数据

曾有你的天气 / 夏茗悠著. -- 北京 ：新世界出版社，
2011.3
ISBN 978-7-5104-1675-0

Ⅰ. ①曾… Ⅱ. ①夏… Ⅲ. ①长篇小说－中国－当代
Ⅳ. ①I247.5

中国版本图书馆CIP数据核字(2011)第018887号

曾有你的天气

策　　划：北京记忆坊文化
作　　者：夏茗悠
责任编辑：杨雪春
特约编辑：暖　暖　张才日
责任印制：李一鸣　冯宏霞
封面摄影：天光水影
插图摄影：夏茗悠
装帧设计：80零 · 小贾
出版发行：新世界出版社
社址：北京市西城区百万庄路24号（100037）
发行部：（010）6899 5968　（010）6899 8733（传真）
总编室：（010）6899 5424　（010）6832 6679（传真）
http://www.nwp.cn
http://www.newworld-press.com
版权部：+8610 6899 6306
版权部电子信箱：frank@nwp.com.cn
印刷：北京九天志诚印刷有限公司
经销：新华书店
开本：880*1100　1/32
字数：150千　印张：7.5
版次：2011年7月第1版　2011年7月北京第1次印刷
书号：ISBN 978-7-5104-1675-0
定价：23.00元

【The Weather With You】

第一话

【The Weather With You】

所有的少女情怀、少年心气，以压倒性的姿态与毁灭性的气势，卷土重来。

此时方才知晓，希冀的终点所归何方。

失落的恋慕所归何方。

固守成习的徒然期待所归何方。

[一]

风声一啸，轻易拂去万物根基。

越过谎言绵延的山，浸透谤议丛生的雨，悲恸伴潮汐升涨，泪腺宛如苍空。比拟素白绒花飘零，几个转身，几番起落。而后坠入泥泞，归于尘埃。

唯有阒静沉淀千年，方能心平气和提及“曾经”。

那些“曾经”，在酷暑严寒中刻骨铭心。它们消解于云淡风轻，重现于被蚕食至斑驳的蜃楼幻景，经漫长年月去噪打磨，又加诸柔光与滤镜，最终竟有了几分和暖气象。

气象殊异，幸而你依旧是你。

给予我素骥之图，不能视一切为虚无。

[二]

残秋九月，晴天霹雳落下，感情线走出一个新分叉。

“夕夜，你先冷静，我的意思是，你还像交往之前那样把我当学长，我们一样出去，我要能找回以前的感觉我们就继续，好吗？”

暮霭从落地玻璃窗外挤进来，使店里正在播放的慢摇泰国歌像是因空间不足而变得郁结压抑。

冗长的沉默中，手指关节因紧压着玻璃杯冰冷的外壁而麻木。

某种情绪走成医院里垂死者心电监护仪所呈现的图形，上下几个大幅度颠簸，继而扯出一条消失于尽头的水平线。

夕夜在沉香色光线中缓慢眨眼，扬起空漠的声音：“她是谁？”

“她？”男生脸上闪过一丝慌乱。

“你知道我在说谁。”一字一顿。

视线移向身侧的地面。“是……单若水。但不管有没有她，我们都不可能再继续下去，夕夜你实在太……让我怎么说呢……”

女生赶在对方说出更伤人的话之前突兀地打断：“你说完了吗？可以走了吗？拜托别再来烦我了好吗？恶心。”

一如既往的平静语气使男生倍受打击，满脸错愕地逃离了分手现场。

其实早该有所觉察，每次出去约会时他都会说起单若水。

一个女生，为倒追某男生居然大喇喇地搬到男生寝室去住了二十多天，宿舍管理员怎么赶都赖着不走；聚餐时玩真心话大冒险，居然当着很多男生面不改色心不跳地脱黑丝袜；喝HIGH了居然在回校的地铁里跳钢管舞，惊扰得连警察都出动维持秩序……天知道这种人怎么会是国贸系系花。男友一遍遍地唠叨八卦，结果连夕夜都对单若水的事迹了若指掌。

虽然每次都刻意加上批判评价，但提及次数多得反常，本身就意味着关注。

虽然嘴上说瞧不起那种女生，但心里却觉得那是种活泼开朗的好个性。

“夕夜你实在太认真，让身边的人也轻松不了。”

“你漂亮、聪明、有气质、有涵养、一直很安静，但是太安静，在你身边就像进了坟茔。”

“对不起，我还在要玩乐要疯癫的年纪。”

有些话，前人做好了铺垫，后人的重复也就出现在意料之中，熟稔于心。

大二暑假，第十一次分手，还是一样的原因，还是一样猝不及防，甚至比以往伤得更深，因为总觉得“11”是自己的幸运数字，第十一个或许会是转折。

真可笑，像个傻瓜。

总是无视自己被不断抛弃的命运，怀揣着可悲的忐忑，希冀未来会出现转折。

一扇门，一条路，还是一束光？连自己都不知道在期待什么。

母亲去世前说过，是因为有期待人才会变得不幸。

内心像拉灭了灯的长廊。夕夜怅然若失地望着面前没喝完的两杯冰饮，身体的某部分神经向大脑发出警觉信号，几秒后才感受到停留在右脚踝外侧的毛茸茸触觉，又愣过一秒，才从座位上弹跳而起：“啊啊啊啊啊老鼠……有老鼠……有……兔、兔子？”

揉了揉模糊的眼睛，再次定焦，兔子君也正一脸无辜地用红眼睛瞪着自己。

什么情况?

“看来你不冰山嘛。”懒懒的男声从邻桌传来。

视线抬高一点，桌上摆着书、饮料、itouch、上网本、小笼子? 几片被咬过的青菜叶?

再抬高一点，囫囵掠过面颊眼眸，最终定格于深棕发际。

某些似曾相识的细节受记忆委派而来，点燃致人心悸晕眩的引线。

二十岁，十九岁，十八岁，十七岁，十六岁……

任凭时光在面前逆向汹涌流淌，重又忆起那个曾让自己失去重心步履踉跄的人，以及与他的身影一同暗地生长的欣喜与沮丧……

所有的少女情怀、少年心气，以压倒性的姿态与毁灭性的气势，卷土重来。

此时方才知晓，希冀的终点所归何方。

失落的恋慕所归何方。

固守成习的徒然期待所归何方。

[三]

其实并不十分相像，只是整体都有那种年轻男生独具的健康又英俊的气息，其中又都掺杂着几分略超年龄的敏锐和沉着。

一贯不知该如何与初识者自然相处的夕夜，却因为这么点熟悉感几乎立刻就和邻座的男生坐到一起，毫无障碍地沟通起来。

女生抽抽鼻子："再确认一遍，远亲中也没有姓贺的吗？"

"没有。兄弟姐妹、表兄弟姐妹、堂兄弟姐妹，没有一个姓贺。问这么奇怪的问题干吗？"

"因为你长得很像我初恋男友。"

"可以自动理解为：我是你最爱的类型么？"

长吁一口气："不要拿刚失恋的人打趣。"

"没打趣。"男生微微蹙眉，有点可爱的委屈神情从脸上一闪而过，语气却依然冷冰冰，给人宛如齿轮错位的不协调感，"我很认真。嗯……为了表示诚意我也确认一下，你初恋男友不姓程吧？"

"姓贺啊，要不然刚才问那么多遍干吗？谁姓程？"

"我爸。"

女生不解地眨眨眼睛。

男生继续解释道："我是私生子，跟我妈姓。"

思维有点短路。真的假的？怎么会有人以这么随意的语气把这么重要的身世告诉第一次见面的人？反应了长长的几秒才领悟对方的重点，内心有点无力："我怎么可能对你爸那种年纪的老人家感兴趣？"

"很难说哦，你这种怪人。"

"哪里怪了？"

"男人用花言巧语脚踩两条船的手段一下就被你识破，分手后也不像一般女生怨天尤人哭哭啼啼，然而，就是这样睿智而坚强的女性，"往嘴里填了口蛋糕，卖了个不大不小的关子，吃完才继续说下去，"竟然被可爱的小白兔吓得花容失色、泪流满面。"

"我以为是老鼠。"

"竟然被可爱的小白鼠吓得花容失色泪流满面。"男生改口道。认真严肃的神情让人实在无法判断真假虚实。

回想起刚才一瞬间的失态，夕夜有点恼羞成怒："你才是怪人吧。没见过男生带着小白兔来咖啡馆喂青菜。话说回来，门口明明写着'禁止携带宠物入内'。"

"这不是宠物，是约会对象。"

夕夜不禁打了个寒颤："快说这是冷笑话，不然我三秒钟之内就会逃走。"

"不是冷笑话。"男生故意等了三秒才解释，"大概因为我是个碍眼的灯泡，我死党的女友一直给我介绍各种各样的女人，想把我从她男友身边打发走，但是每次带来的女人都被我气跑，今天她绝望了，没带人，带来了她们寝室养的兔子。前因后果就是这样。"

"听起来挺可怜，不过仔细一想，谁让你那么挑剔。"

"我喜欢有点骨气的女人，不喜欢过分主动的脑残系。"

都是嘴上说说冠冕堂皇的话，根本没有人会以此准则左右喜好。

读高中时，喜欢的男生喜欢的是自己最好的朋友，有点绕的关系。

乍看之下，那个女孩无论哪方面都不如自己，但细究起来，担任班长的她因积极主动、活泼可爱的"好个性"而广受好评——只有熟悉她如夕夜者才能看透那全是伪装。就这方面而言，夕夜觉得自己踩着风火轮都追不上。

该机灵的时候机灵，该懵懂的时候懵懂，该耍白痴的时候耍白痴，该装可爱的时候装可爱，伪装到收放自如的境界，相貌天资再平庸也能成大众情人。

夕夜不是不懂这道理，只是许多年来，依然学不会。

在这喧嚣浮躁时代，有骨气，只不过多一重束缚而已。

男生的这句话，是她当天最后的清晰记忆。

[四]

在陌生环境中醒来，时空都令人感到别扭，夕夜撑着床沿坐直，环顾四周，是酒店房间。

虽然意外但没有体会到受惊后的虚热，也没有紧张感。俯身只见床边自己的凉鞋被摆放得很整齐，但由于懒得处理鞋带，索性就赤脚踩着地毯往外走去。

套间的会客厅沙发上斜靠着昨天在咖啡馆遇见的男生，左手松松地枕在后脑下，从夕夜的角度其实看不出是睡着了还是没睡着，但听得见熟睡的绵长呼吸。

这种状况让女生有点左右为难。搞不懂究竟发生了什么使事态变成眼下这样，又不能叫醒唯一的知情者问个明白；就常理而言不该不清不楚地继续留在这里，又不能不知会对方什么都不解释就一走了之。

正犹豫着，一小团白色的东西从视界中横蹿过去，夕夜不由自主发出一声轻微的“欸”。

须臾便看清，又是那只兔子。但正是这声“欸”，成功导致男生窸窸窣窣坐起来看见了她。

女生努力让表情和声音显得自然：“睡得真浅。”

“从小养成的习惯。”男生戴上眼镜，让出身侧的一个空位示意她坐过去。

“为什么我们会在这里？”

“这要问你，”男生挑挑眉毛，笑得亦正亦邪，“为什么喝

RED EYE都能倒。”

“酒吗？我喝过？”

“我点的，我一杯兔子一杯你一杯。”

“兔子……啊，那是酒？我看兔子喝以为是饮料。”有点哭笑不得，“哪个正常人会喂兔子喝酒？”

“嫦娥吧我想。”男生板着面孔讲冷笑话这一套夕夜已经适应了，“只不过是啤酒加番茄汁，你居然能不省人事九小时，有什么立场跟我提‘正常’二字？一般而言，正常人用它来解酒。”

“我本来就是一点啤酒都不能沾，而且不是都说，心情不好更容易醉吗？”夕夜的目光在地上转，发现那只兔子这回安分地钻进笼子睡下了。

男生稍稍动容，改变坐姿面对她，好言开导：“用不着心情不好。单若水比较主动，和她相处起来很轻松，有人喜欢有人不喜欢，这都不奇怪。你不一样，我朋友说你这种女生是属于全人类的，不要随便为了谁降低水准。”

“……欸？你认识单若水？”

“很不幸，我从小学到大学都跟她同校。”

“你也是F大的？”

“国贸系。”

夕夜立即露出怨愤的表情：“都是因为你们平时不好好努力追求系花，才造成这种悲剧。”

男生笑一点：“她是系花？别开这种玩笑，我会哭。”

“为什么？”

“我是系草。”看起来不是玩笑，听起来也不是玩笑。

夕夜却忍不住笑了：“还真是有点委屈你。”

“所以无论如何我也在精神上支持你。”

“精神支持有什么用。”

“要不然系草免费借你用一下？气气前男友？他拐跑国贸系系花，你就拐跑国贸系系草，不吃亏了。”

“这种无聊的事没意义。真想帮忙的话，就把你们系花拐回去，不要放出来破坏生态平衡。”

屋子里突然静下来，谁也没有开腔。

最后男生问：“你还没死心？”

女生有点哽咽，只能苦笑，也许是酒力还在的缘故，头疼欲裂。

感到唇上突然施来的压力，神经居然迟钝到毫无反抗。重叠在一起的那一小点仿佛与身体的其他部分有着不同意识。

它们孤独相依，脉脉含情，静若沉思。

宛如在夜晚潮起潮落的海边举行某种仪式。

黑色阴影罩住彼此不露表情的面颊，一声不响地吞噬掉过往，却不知为何愈发悲伤。

分开后，夕夜感到有什么东西在自己体内安眠下去，重新开口时声音嘶哑了些：“这算什么？”

“表示不仅限于精神支持。”很是坦然。

“可我是初吻。”

“啊……难怪拴不住男友。”

“欸？”怀疑听错了，“你要先道歉才对吧？”

“道歉于事无补啊。”说得轻飘飘，“我也深感意外，外界传闻你滥交，我还信以为真。”

“我？滥交？”听着像天方夜谭，“你知道我是谁？”

“顾夕夜，跟我同校同届，传说中的资深小三著名妖精，虽然现在知道，跟传说的不太一样。话又说回来，麻烦你保护好自己，不要长着辨识度这么高的脸、顶着那么豪放的名声和陌生人闲聊、喝不明饮料、心情不好、离奇醉倒、迷糊地开房、无知地上床。总之，现在凌晨三点，各自回寝室都不方便，在这儿将就着睡吧。”

见女生摆出奇怪的防御姿势，男生想笑，补充说：“各睡各的。学这么快，我都有点喜欢你了。”

“呐，系草，你叫什么名字？……笑什么？”

这次是真的笑出声：“先开房，再接吻，然后告白，最后自我介绍。不要说你，我也是第一次，这么诡异的事不太常见。”

“嗯。”遇上聊起天来感觉不到压力，轻松惬意的人，“实在不常见。”

[五]

顾夕夜，在许多人眼中是黑色曼陀罗，美得幽魅而不真实。长相具高加索人种特征，基因不可考。母亲是内敛寡言的女子，庸常姿色，个性冷硬坚强，对世界充满怀疑和失望，并把这种思想不断灌输给夕夜。

“世上除了我，没有一个人会真心爱你，如果你轻信了他们的谎言，抱有那种不切实际的幻想，就会一辈子受伤。”

回想起来，这是母亲对她重复最多遍的观点。

夕夜没有见过亲生父亲，也没见过家里任何亲戚，只与母亲两人相依为命，过得清贫。

夕夜上初一时，母亲病逝，最终也没有透露关于父亲的只言片语。

之后辗转被几家收养，寄人篱下，受尽委屈，长成不善交际、脆弱敏感的早熟女孩。

成年后因相貌与才智出众，遭人嫉妒诋毁，行事愈发与世格格不入。出于善意者给她“傲雪冰霜”的评价，其余只是冷哼一声“真能装”。

早晨醒来，套房里已经只剩孤单的自己。

男生像烟圈一样倏然消失。到最后还是不知他名字。

也是为了确认他曾经存在过，打电话给酒店前台说昨日醉酒不知是谁带自己来的，想问登记的名字，缠扯了几分钟，被告知“客人名叫季霄，房款已经结清”。

夕夜愕然数十秒。

盛夏的日光碎在路面上。

行道树铺下浓密的阴影，鞋底却还是滚烫。

名叫季霄的少年在记忆中转过身，用难以置信的语气问自己：“你想要害死颜泽？你嫉妒她？”

羡慕与嫉妒，不过这样一个转身的距离。

嫉妒是——

羡慕却无力企及。

顾夕夜和颜泽，贺新凉和季霄，十几岁时结成的朋友，还在十几岁感情就变了质，因为爱，还有恨，羡慕，或者嫉妒。

谁也想象不到顾夕夜竟也有嫉妒的人，而且是平凡普通的颜泽。

夕夜总是不甘心，为什么自己最好的异性朋友季霄和自己喜欢的贺新凉都无视自己而恋慕看似一无是处的颜泽。

年少的恋慕若不能两情相悦，就成了极苦的咖啡，偶尔可振奋人心，但大多数时间都难以下咽。

夕夜走在回校的路上，回想着那三张最为熟悉的面孔，有种自脚心到头顶都被灼伤的错觉。

有的人是近在咫尺却对面不见。

有的人是远在天边却依然惦念。

有的人是恨不得她死，却忍不住捕捉传闻的蛛丝马迹，在与她永无交集的平行隧道里钻一个洞，内心五味杂陈地窥视她的幸与不幸。

那是你羡慕却无力企及的人，同时也是你不能理解的人。

“顾夕夜，我实在不能理解你。你不是和师兄交往得很好吗？干吗又破坏蒋璃和她男友？”课间，有熟人来兴师问罪，措辞中有个“又”字，坐实了顾夕夜一再冒犯的罪名，又声张了自己的忍无可忍打抱不平。

夕夜抬起眼睑，视线落在季向葵写满无端愤懑的脸颊上，再看看她身边侧后方的蒋璃，在两人之间往复几次，好像在用目光驱赶蚊蝇。最后她冲季向葵微笑，柔声开口：“这和你又有什么关系？”

“是没什么直接关系，不过你实在太过……”

“惹眼。”

“欸？”被打断的季向葵一愣。原本想说的“太过分”在对方出其不意的接嘴后变成了“太过惹眼”。

“因为有我挡在前面，高中时你成不了级花，大学时成不了系花，其实我性格孤僻，混在人群里默默无闻本是龙套，但拜你所赐，时常成为万众瞩目的焦点，虽然没有什么好口碑，争议女王却也是女王。你想清楚要不要使我更惹眼哦。”

季向葵语塞，只能把希望寄托在蒋璃的自我发挥上。

夕夜的目光也顺势转过去：“说吧，我怎么破坏你们了？”

“给他充电话费这种事，轮不到你！”

“他是助教，我必须把作业交给他，可他手机欠费自己没察觉，通过其他方法我又联系不上他，你说这种情况我怎么办？”

“我不管你有什么理由……”

“你也要想清楚哦，反正我已经声名狼藉，你这样无理取闹下去我也不会有什么损失，唯一知道前因后果的人是你男友，他知道你来找我会怎么想？你何苦把他眼里的自己弄得那么恶毒，把他眼里的我衬得那么无辜？”

不过三言两语，便让滋事二人组忿忿离去，夕夜有包揽大小赛事最佳辩手的口才，应付鲜明的敌意不在话下。

一次次使她遍体鳞伤的，是错信的伪善。

[六]

波澜不惊地独自度过了一周，在学校附近的大型超市里买食材的时候，不太意外地在结款台遇见了前男友，意外的是他也孤身一人。

“也许是传说中的‘现世报’吧，和你分手后的第二天，她就跟别的男人外出旅行，至今没有回来。”

回校的路上，因为对方坚持要同行并帮自己拎东西，夕夜只好勉强做个心平气和的被倾诉者。

“联络不上？”

“无论我怎么打电话发短信也不理睬。”

“别的男人……是什么来头？”

“当然这个我也打听过，是和她同系的一个轻浮男，所以我有点担心。”

高一的暑假被车撞伤，住院期间贺新凉混在同班同学中来探望，因为他是从事发现场救了自己将自己送往医院的人，夕夜别有用心地借机拽住他谢个不停，蛮有点要对救命恩人以身相许的意味。

男生在病榻边爽朗一笑，轻描淡写说道："那天你和颜泽穿着一样的衣服，刚开始我还以为受伤的是她，差点吓死。"

幻想着有一天哪个王子白衣翩翩破光而来，从黑暗中拯救你。

他静脉跳动的节律和血液缓流的温度，突兀的手骨节和棱角分明的侧脸，却统统不为你而存在。

所有的温柔，只是因为将你错认成了他的公主。

"我有点担心。""我差点吓死。"

这些别人听来再普通不过的话语，如同一列列悠然的慢车。

它们驶过寻常的桥，寻常的隧道，穿过寻常的树林与原野，寻常的市郊与村落，在温暖夕照的摩挲下沿着地平线描一段恒长的墨绿色边缘。

像碾过任何一寸土地般碾过你的心。

然后毫无知觉地继续前行。

"……"

"若水其实很单纯，单纯得有点蠢。不知道那个男的究竟花言巧语跟她说了些什么……唉。"

"不打算魄力十足地去找她回来吗？"夕夜平静地问。

"那倒不至于……还不知道具体情况，我想等她回来再说……"

从男生手中接过塑料袋，淡淡笑过："我到了，谢谢。祝你好运。"

不再说“爱”，也不说“再见”。

因为现在看起来，连曾经爱过他这件事都显得非常荒谬。如果不是因为他的声音和新凉特别相像，恐怕从一开始目光就聚焦不到他身上。

如果是贺新凉遇到这种事——

转身后夕夜想。

他十有八九会天涯海角地去把颜泽揪回来。

不过那位“轻浮男”倒是令夕夜有点介意。分手后第二天就拐跑了单若水，该不会是“系草大人”的作为吧。回想起来，赌气时自己还真的说过“真想帮忙的话，就把你们系花拐回去，不要放出来破坏生态平衡。”

但没人会真那么胡来。夕夜对自己不切实际的妄想摇头笑了笑。

话又说回来，那家伙还的确有点胡来，轻浮这点也不假，一般人不会莫名其妙和陌生人接吻。

最让人一头雾水的是，他怎么可能也叫“季霄”？

细究一下，难道本校国贸系同一届有两个同名同姓的季霄？

而且一个季霄是道德楷模型，一个季霄是道德沦丧型？

什么跟什么嘛。

[七]

季霄本是夕夜最亲近的异性朋友。

他与颜泽交往过，但并不顺利，很快分手。即便如此，他还是认为错在自己，一如既往地喜欢颜泽。

颜泽有把自己的弱点妥善掩饰的特长，很懂得对每个人投其所好，不吝惜对他人的称赞，人缘特别好，即使亲密的人觉察出一点不对劲，内心都会被“所有人都爱她，我和她无法相处，出问题的一方肯定是我”的想法撞击。没有人知道看起来那样单纯天真的女孩，心灵却在逐渐腐朽。

夕夜嫉妒她的同时，也正被她以险恶数倍的用心嫉妒着。所不同的是，不择手段付诸实行加害他人的只有颜泽。

高二时出了一场意外——

由于校舍年久失修窗框脱落造成两名女生坠楼，其中一名伤重身亡，另一名失忆，失忆的是颜泽。

失去了记忆的颜泽连自己的日记本寄放在夕夜的储物柜这件事也不记得了。夕夜怀着无法平复的嫉妒心终于从中知悉颜泽的另一面。

许多年后，依然清晰记得阖上日记本时，那种眼前一片黑暗、身体的每个角落都被震惊强力袭击的感觉。

不能原谅。

季霄竟还愚蠢地为她来质问：“我明明记得在事故发生前我叫你开窗，可你却说‘锈住了，打不开’，正因如此她们才会放心地坐在窗台上，你为什么要这么做呢？”

十七岁的夕夜脸上浮出与年龄不符的苦笑：“因为我想害死她啊，我一直嫉妒她。”

“你想要害死颜泽？你嫉妒她？”

“没错，我希望死的人是她。”

全世界被按下静音。

从季霄错愕的眼神中，夕夜看见了精神崩溃化身魔鬼的自己。

凭借着伪装的单纯与善良得到我想要的一切的人，是你。

被所有人无条件相信、无条件保护的人，是你。

撕碎我们所有少年时光的人，是你。

不能原谅。恨意日益堆积。

真希望能够，由我亲手，杀死你。

颜泽。

由苦笑变成大笑，转身之后感到年轻时的一切温暖美好从身体里迅速抽离，再没有未来和希望，只剩下麻木的躯壳。

一遍遍在臆想中以各种方式杀死颜泽，细化每种细节。如果不是高二下学期及时分班从颜泽身边逃开，夕夜觉得自己可能早已精神失常了。

而“没错，我希望死的人是她”也就成了对季霄说的最后一句话。

从曾经的校辩论队配合默契的王牌组合，到现今同在一所大学却从不联络的陌路人，中间的过渡只剩下这句真实的谎言。

讽刺的是，毁掉了夕夜唯一的爱情和唯一的友情之后，失去记忆的颜泽生活照旧，什么也没有改变。

[八]

此后又过了半个多月，仿佛生活在真空中，不与世界上任何人建立联系，逐渐连记忆中的面孔都模糊变形了。

这天，夕夜在自动贩卖机买了一瓶饮料，取出时指尖一滑，罐子跌落在地，从运动场铁丝网下方的空隙滚向了另一边。伸长手臂够了半天也碰不到，焦急的当下，男生骨节利落的手隔着铁丝网出现在视野中央。

更远一点的地方，静置着他的三叶草鞋。

视线再抬高一丁点，是他俯身时无意中折起的衣料。

深亚麻色的头发，在阳光直射下显得近似金色。

他略微一笑，又似乎没笑，湖心波纹般的英俊藏在那邪气的神情中："你怎么报答我？"

报答？

"欸？"夕夜思维有点迟滞，犹豫着把手伸过铁丝网洞去接递到面前的饮料。

"按你的心愿，把单若水拐回去了，你要先道谢才对啊。"恶作剧地把饮料罐收了回去。

夕夜突然不能动弹，男生的形貌被铁丝网细致地分割着。

"是……你？你真的……？"连贯不出一句完整话语。

"现在，是怎样呢？抓住时机和前男友复合了？"

"……没。"

男生摇着头笑起来："有半个月了吧，你也太辜负我了。"

"不，我……"

"还是说前男友什么的，你已经不在乎了？"

步步紧逼的追问，让夕夜无法理清思路自如应答，步调完全被搅乱了，关键是他的推测并没有错。

正在承认和否认中摇摆不定，悬在半空的手突然从腕部被捉住。

男生把冰凉的饮料罐轻轻放进她的手中："别说谎，半个月来，你想的人是我。"

"这、这又算什么？非精神支持的一贯套路吗？轻浮男！花花公子！你少瞧不起人了！"因为被说中心事而恼羞成怒，虚张声势地斥责后，却在甩开对方的手打算掉头就逃的时候丢脸地被卡住了。

虽然手臂可以伸缩自如，但饮料罐比铁丝网洞大得多。

情势变得有点滑稽。

夕夜涨红了脸。

男生笑得更深一些：“唉——真是笨死了。”续上中断的对话，“我不知道你所说的我和你初恋男友相像是真是假，可是说真的，你的个性让我总想起我的初恋女友，我认为这其中有些是注定的。如果不是这个原因，我懒得使用任何套路，正是这个原因，我现在处于真心模式没必要使用套路。顾夕夜，你必须相信我……”

男生俯下身以平行角度直视她的眼睛。

他的眼睛像夜里的大海一样深邃而流光四溢……

——世上除了我，没有一个人会真心爱你，如果你轻信了他们的谎言，抱有那种不切实际的幻想，就会一辈子受伤。

但是……

“为什么？”屏息望着他。

“为你自己。”

不是预想中的甜言蜜语，而是事不关己地拉远距离，这种强硬且自信的男生，以前从没见过。

“你过来这边。”

“欸？”

“这样对话太像探监了。”不由分说地再度拿走那罐饮料，恢复了面无表情。

虽然也觉得不应该就这样结束对话，但走到一半夕夜才想起：为什么非要我过去不能你过来呢？作为男性……真是有够过分。

绕经体育场入口，又折回男生所在的位置，有点意外地看见一个圆脸小女生出现在他身旁一边喝矿泉水一边跟他说着话。对方也很快发现了夕夜，笑嘻嘻地说："是顾夕夜欸！风间你居然认识传说中的顾夕夜？"又突然凑近夕夜的脸小声嘟哝，"好棒的皮肤，用什么牌子的BB霜啊……"

"……风间？"夕夜喃喃重复道。

"我，易风间。这位是——"手指着身边的圆脸女孩子，"我女友，路亚弥。"

"女友？！"等到反应过来对方只不过是说笑，已经来不及阻止自己的脸迅速垮落。易风间么？还真是擅长一本正经地随口说瞎话。

亚弥脸骨架很小，有点婴儿肥，眼角下垂的大眼睛，身高大概只有一米五几，十分娇小可爱，与夕夜这种冷艳美女没有任何共同点，听见风间的介绍词之后立刻笑着对夕夜摆手："不是啦，风间是我男友的男友，他是小攻，我男友是小受，他们同居两年啦。"

"啥、啊？"连声音都哆嗦了。

下一秒，那孩子眼角下弯，露出拨云见日的甜美笑容，让夕夜深刻体悟到自己的失败——居然接连被戏弄了两次。

"那你们慢聊哦，我去玩啦。"亚弥得逞后有一点小得意，脚步一垫一垫地走开。

"哎等一下。"夕夜跑出两步，"那个……BB霜……基本上我不用，因为没有什么国际大品牌出那种东西，总觉得对成分不放心，化妆品很容易铅什么什么汞什么什么过量，我觉得还是应该认认真真用传统的隔离加粉底，但其实，你肤质也很好，只用隔离就够了。我推荐的牌子是……欸？"被突如其来的冲击打断。

亚弥大笑着扑过来抱住夕夜一个劲用脑袋顶她："萌死了！

这种又纯又呆的天然萌物最有爱了！风间你快把她扑倒吧！”

哪国语言？完全茫然的夕夜只好望向风间求翻译。

男生有点无奈：“称赞对方皮肤好是女生间约定俗成的寒暄语。你不用那么认真的。”

“你们俩交往吧，我举双手双脚赞成。”

“我反对。”再熟悉不过的声音，但那种温度，却万分陌生。周遭空气瞬间就凝结了。

夕夜抬头转向声音源头，果然是季霄。

季霄完全无视夕夜，只冷冷地朝风间扔去一句“如果你非要和顾夕夜在一起，就表示跟我绝交”便转身就走。

一向擅长炒热气氛的亚弥也不知所措，愣过三秒，犹犹豫豫地跑去追上季霄。

只剩下风间和夕夜尴尬地对峙。

其实一切都明晰了，风间是季霄的死党，而季霄对自己的反感是不言而喻的。

说到底，根本没什么好期待，幻梦经不起一击就粉碎，都是自己作茧自缚。夕夜长吁了一口气，苦笑着，对风间说道：“对不起。”

但与此同时，风间面无表情，脸上仿佛罩着一层浓雾，说了截然不同的三个字。

两个人的声音在虚空中交叠，模糊了真实与幻觉的界线，然而，那三个字的存在，无论夕夜多么不敢相信，也不可能被否定。

母亲在世时一再告诫我不要相信除她之外的任何人，而今我依然不知道什么人值得信任，却先遇见了无条件信任我的人。

你说得天经地义理所应当，语气毫不起伏跌宕。

——别理他。

平平淡淡，乍听无情实则温暖，给我的安慰不可名状。

是什么穿过指缝自由落体，延落在炙热而苍白的地表，须臾便蒸发无踪?

是什么被手心接纳，在指示命运与情感走向的掌纹间温柔地融化?

第二话

【The Weather With You】

季，霄，平凡普通的两个字。

组合在一起，也没有任何唯美的附加寓意。

但是夕夜独特的吐字发音，加上那种矜持拘谨的态度，

赋予了它令人惊奇的温度。

[一]

很久以后，风间向夕夜讲述自己和初恋女友的过去，两种初识在夕夜的脑海里如同电影中象征镜头的复现。虽然没有亲眼目睹，但她坚信故事是这样发生——

男生转身时本想对一直跟着自己的女生发作，看见那不带表情却罩着温柔之色的面庞，恼怒在刹那间便烟消云散。

“呐。如果非常难过，哭也可以，但……”

女生稚嫩的手伸向风间，将掌心摊开在下颌处。

行道树伸展的枯枝，早早暗下去的天色，接连亮起的路灯，安静的街道，暖黄的光，说话时呵出的白雾……一幕一幕，匆匆闪回，真实平和得甚至不能引起任何情绪变动，如同一种早知结局的前情提要。

时隔六年，在葱郁的翠绿还在潮涨汐落的夏末，混杂着汗液气息与焦灼气味的喧嚣异常的运动场边，与彼时毫无联系的情境里。

风间朝夕夜伸出手，重复那句话：“眼泪是珍贵的东西，不能让它落在尘埃里。”

这其中，有些是注定的。

[二]

“那么今年我们系的合唱，就由顾夕夜同学来组织吧。”导师在全系会议上说完这句话便宣布散会，学生们像是完全没有听见一般作鸟兽散。

被剩在最后，坐在位置上一动不动的人是夕夜。

明知她没有人缘，却故意作出这种安排，在这个女生居多的院系，进一步煽动大家对她的嫉妒与仇恨，使她陷入四面楚歌的境地，最后不得不向自己妥协。导师阖上资料走出门去时，冲目光呆滞的女生笑了笑。

不可能完成的任务。

初中时是合唱团领唱，高中班级合唱时担任的是钢琴伴奏，并不需要和任何人协作，回想起来，尽管出色，但夕夜不善于融入集体，更别说担任组织者。

回寝室前绕去了图书馆，借了八九本与专业相关的原版书，一路抱着走，沉重得明显感到手酸，肩包每隔半分钟左右就滑下来一次，不得不走几步停一停。

路程过半时不出所料地出现了主动提供帮助的搭讪男。但这种情况下，似乎没平时那么讨厌。

夕夜真心地谢过他，对方顺势要手机号的时候，也没有拒绝。

刚进寝室就收到短信：“我是刚才帮你搬书的那个哦^___^Y，我叫XX，是XX系X届的，交个朋友吧~\(≧▽≦)/~”

看到男生使用表情符号，夕夜就忍不住一哆嗦。虽然贺新凉过去也常这么做，但他那时不过16岁。年满20还这么爱撒娇就不能违心地说是什么优点了。虽然他自报了姓名，但由于并无好感，夕夜把那号码存为“路人甲”。

看在他乐于助人的分上，夕夜忍耐着给他回过去：“嗯，谢谢你。”并没有做自我介绍。

路人甲似乎是神经较粗脸皮较厚的角色，又继续发：“下午有空吗？要不要一起去打羽毛球哇XD？”

羽毛球……

总觉得篮球足球才是适合男生的运动，“羽毛球”这种字眼看起来就令人反感。夕夜委婉地拒绝了。

路人甲却穷追不舍：“啊咧咧——你没有什么喜欢的运动吗？没有爱好吗？”

“爱好看书。”

“看书吗？哎呀我也是一样哦(*^__^*)。我们可以交换书来看哦。”

夕夜努力回想刚才那张路人脸，怎么都不像读书人，但有时人不可貌相，这么小的事没必要较真。含糊地答应了这个“换书看”的提议。

过了大约半小时，路人甲又突然发来一条：“^__^你平时晚上去不去夜店啊？”

夕夜笑了，没再回过去。

这种肤浅的示好，太廉价了。

没有刻意去联系易风间。

于是便断了联系。

起初几天一直想着他，但后来就逐渐习惯了，只是想着他在一个特定的地方好好生活就已经安心。孤独是夕夜最容易习惯的事。

其间倒是多次见到路亚弥，正巧选了同样的通选课，或者午饭时在餐厅偶遇，只要她身边没有季霄，她就会主动招呼夕夜坐在一起。

她比夕夜小一届，读大二，看起来却像高二学生，无时无刻不元气满满。在稳重内敛的季霄身旁，有种不协调感。被问起怎么会和季霄交往，答案却出人意料。

“我啊，从初中就喜欢他，为了他考进阳明，又为了他考进F大，是个固执又缠人的跟班哦。虽然高考是撞了大运，侥幸啦侥幸。”

“怎么侥幸？”

“最不擅长的英语科答题卡涂错位，等到快交卷才发现，理应按照一行一行的顺序涂，我却按照一列一列的顺序涂，最后要改已经来不及了。结果居然得了138分，把自己也吓一跳。”

“不、不是吧……这都行！”夕夜木讷地咬着筷子僵住。如果按照正确的顺序填，说不定连38分都得不到呢。

亚弥笑眯眯地喝了口汤，眼睛弯在汤碗上方：“爱情感动了上帝哦。”

夕夜有点无奈地笑起来。

亚弥是读书不在行的类型，但为人处事很机灵，有时有点冒失，整体上还是很讨喜。不过再怎么说也和“执着”这种词划不上等号。

“从初中开始，中间就没喜欢过别人吗？”夕夜问。

“季霄和颜泽学姐交往后喜欢过别人，因为我觉得自己没什么希望了……”

差点忘了，同校学妹，不可能不知道季霄和颜泽那段短暂的恋情。

高中时季霄担任自主管理委员会主席，颜泽担任学生会体育部部长，两人都是叱咤风云的校内偶像。

"……不过呀，当我发现自己每次喜欢的人都那么像季霄之后，就连喜欢别人的希望也放弃了。"

那不是放弃，而恰恰是无法放弃的象征。

因为相似的话或字眼，因为相似的表情或目光，那些微不足道的东西。轻易喜欢上一个人，只因为他像贺新凉。

如出一辙的事，也发生在夕夜身上，所不同的是，她的爱情如同这世界上99%的爱情，感动不了上帝。

一次次误以为可以真心爱上一个人。

一次次期望又失望。

而真相是，内心深处牵出一端系着某人的线，固执地束缚了你的意识，既无法感动上帝，又无法说出——

"新凉，再见。"

[三]

女生宿舍的水房向来是是非聚集之地。

衣物放在盆里浸泡柔软剂，夕夜洗干净手，回屋看了会儿书，十分钟后去清洗，走到门口听见里面正在议论的人是自己，不由得脚步一滞。

"怎么会让她负责这么重要的合唱？"

"你傻啊，没听说顾夕夜是XXX导师的人么。"

"他的人？"

“就是和他有那种关系呗。真是搞扯，拿全系的事来送人情。到时候我们都不参加，看顾夕夜怎么办。”

“就是，不参加，反正我本来也不打算参加学校里这些事，那种趾高气昂的烂女人，整天用鼻孔瞧人，谁要去给她捧场！”

“……”

夕夜淡然走进水房，几个女生立即收了声，其中一人迅速倒掉盆里的水回去晾衣服。

真相与传闻正好相反。

XXX导师，其夫人癌症末期。对夕夜有好感，为了迫使夕夜就范利用权势不择手段，这次又故意设局对夕夜施压。

有时想着不禁鼻子发酸，为什么自己要被拘泥在这样的困境中被这些阴险卑鄙的人糟践。

可又没有别的出路。

没有人以我为荣。

没有人对我宠溺。

没有人给予我叛逆的权利。

我所能做的唯一选择，就是趋于完美，向人们证明自己。

对于世界的了解，夕夜全是从电视剧中习得的。刚认识亚弥时，很自然地把她和季霄分别与相原琴子和入江直树对号入座。随着了解深入发现，不仅季霄不像入江那么冰山，亚弥也不像相原那么脑残。

虽然喜欢季霄超过六年，但其间更多是无声无息的暗恋，没有死缠烂打，而是拼命完善自己，使自己最终能与季霄平起平坐。是这点赢得了夕夜的尊重。

“通常这样含蓄的恋慕不容易成功，你们这算是奇迹。”那次在食堂和亚弥一起吃饭，临到末尾夕夜总结说，“太有少女漫画的梦幻感了。”

“嗯。所以我要好好珍惜。所以和风间相处时，你不要太含蓄。”

“欸？”

“风间并不是那种习惯于特别主动的男生，以他的条件，从小到大也用不着特别主动。就拿单若水来说吧，简直是爱他爱得魔障了，为了追他死皮赖脸搬到他们寝室，男生宿舍管理员有一次都把她的行李堆到寝室楼大厅中间赶她走，她下了课居然能泰然自若搬回去。”

“啊……原来传说中单若水倒追的人是易风间。”

“就是他咯。最后先崩溃的人是季霄，实在受不了和一个女生不明不白同居一室，才在学校附近找了房子搬出来。这么一来，风间当然更受不了了，没过几天也收拾东西来和季霄同住。这就是他俩现在都没住学校宿舍的原因。”

“那么易风间，他对单若水什么想法？”

“当然是轻视加厌烦啦，喜欢的话还用得着卷铺盖逃跑吗？”

如此讨厌的人，为了谁却能够忍着反感委屈自己约她外出旅游。

那个“谁”，是自己。

虽然不知这里面是不是存在易风间心血来潮找乐子的原因，夕夜已经异常感动了。

“风间说过，有两件事是他雷区，一是别人催他，二是别人给他不可捉摸的感觉。所以依我对他的了解，故作矜持和神秘不是与他相处的上上策。”

夕夜很感激亚弥能给自己中肯建议，但是……

“我也有自己的原则和步调，如果为了迎合易风间的喜好刻意伪装成另一番模样，即使被喜欢，被喜欢的人也不是我。”

亚弥有点遗憾，一段恋情尚未开始，却眼看就要终结于双方的不愿妥协。

第二次见面时，与风间交换过手机号，但一条条塞进短信收件箱里的只有路人甲的“电子情书”，风间始终杳无音讯。

周六早晨，夕夜稍稍比平时早一些起床，想去图书馆占座自习，洗漱后见室友还在呼呼大睡，又受到感染没了精神，懒散地躺回床上，将手机举到眼前。一条未读短信，发件人依然是那个路人甲。

夕夜索然寡味，拍着自己胸口轻声感慨：“好可怜哦。”

这是不被任何人宠爱的夕夜从小养成的习惯，自己安慰自己，自己可怜自己。每当遇到感伤的事就模仿母亲拍拍自己胸口。

按下“查看”后，一句话跃入视野：我们换书看吧，我有一本好书，你肯定喜欢。

夕夜还是很高兴终于遇见一个“爱看书”的人，回复他：“十一点半在第五食堂门口见吧，你想要我给你带哪类书呢？”

对方迅速回过来：“文学性特别强的小说。”

夕夜想了想，不太清楚“特别强”究竟是哪种程度的强，按自己的喜好从书架上抽了一本《天黑前的夏天》，过了会儿又觉得太女性化，不适合男生阅读，换了本《通向蜘蛛巢的小径》。

十一点半时如约在食堂碰面，路人甲带来一本以男主角得绝症为结局的纯爱小说，夕夜听室友说起过。

翻了两页，实在看不出文学性在哪儿，不是自己喜欢的类型，回去便塞进书架，有点后悔用卡尔维诺的著作去换，想来果然高估了他。

一起在食堂潦草地吃了顿午饭，夕夜愈发觉得和他没有共同语言，没有拂袖而去全因对方帮助过自己理应答谢。

那些偶像剧中学识渊博家世良好的翩翩少年都去了哪里？

那些揣着少女情怀的哼唱与对谈又去了哪里？

傍晚下过一阵雨。雨丝延成细线飘落在窗台上，水泥墙体被濡湿一圈，雨停后放眼望去，垂直向的街道空无一人且干净清洁。夕夜换件萱草色的宽松外套下楼，在学校附近的小店吃晚饭。

漂亮女生一个人坐一桌，总是十分显眼。服务员点完餐都倚在不远处的柜台悄悄往这边瞥。

摆在左手边正面朝上的手机，显示着时间与日期，没有未读讯息。

点了两个菜，一荤一素。

吃到一半，听见旁边一个大桌传来的嬉笑声中，有个人声分外耳熟。

有个短语叫做——

近在咫尺。

尽管压低了头，变换了坐姿把大半的背影留给那桌人，草草扒拉两口饭就匆忙埋单，但还是很确定对方一定注意到了自己。

孤独，被尽收眼底。

而颜泽，即使上了大学，离开了过去的朋友圈，失去了自己这个闺蜜，也依旧被人群环绕。

出店门时似乎听见身后有人在叫“顾夕夜”，但没有回头。

[四]

这种时候，应该掉几颗眼泪。

应该为自己感到悲哀。

应该朝收件人不存在的地址发去大段大段的心情短信。但是压抑的情绪在转换成拼音被输入前就已丢失，只剩一种古怪的冷静、麻木与清醒。

睡前听的歌是《Eyes on Me》，第二天照常早起，洗脸，走去教学楼的路上买个茶叶蛋。每隔一天的课间拆包饼干，吃一半留一半，因为没有要好的女同学和自己分着吃。

告诉自己，生活便是如此。

[五]

轮到上X导师的课，他假装不经意地询问前排同学“合唱有没有开始练习”，放大了音量，余光瞥向夕夜。

一天一天过去，路人甲的短信逐渐成了个令人头疼的问题。常常毫无预兆地收到：“你该不会是很在乎我？”

夕夜通常不予理睬，过去有过类似的事，被无视一个月后对方就会自动放弃，但这次，此人似乎异常锲而不舍，自己提出问题，自己回答问题，自言自语，自娱自乐，没有一丁点被冷落的觉悟。

有一天路人甲终于情绪低落地发来短信：“其实我没有别的想法，只想和你聊聊喜欢的书。”

夕夜回复：“不必了，我们不是同类人。”

总算，暂时画上了一个句号。最终书还是没换回来。

无法界定这个夜晚属于暮秋还是初冬，一向对季节的划分不敏感。

夕夜躺在床上，一边想念《通向蜘蛛巢的小径》，一边看着手机灭掉不再亮起。

高一时的寒假，季霄向颜泽告白，却把没有称呼的短信错发到夕夜手机中。

虽然对季霄没感觉，但因为信以为真，其实有点高兴。

暖黄的壁灯照在脸颊上，烫过眼睑的温度，定格住一片白晃晃的光。在心里反复演练的拒绝辞，视之为秘密却藏不住，借着向颜泽寻求解决方案让她知晓。

一点一滴小女生心机。

至今仍被铭记。清晰。

过了几天，事情终于拖不下去，系主任和班主任先后打电话来问："其他系都练得如火如荼，我们系的合唱为什么毫无动静？"夕夜老实回答，没有人愿意参加。然后被扣上"缺乏能力"和"性格孤僻"的帽子。

系里几个活跃的女生在领导们许可的情况下跳出来主持大局，扮演救世主，组织活动时照顾到每位同学的情绪，惟独没把顾夕夜考虑在内，因为"众所周知，顾夕夜自视过高瞧不起同学"。

身为院系学生会主席的那个女生，甚至直截了当地对夕夜说："我们不需要类似花瓶、吉祥物之类的角色，你就不用参加了。"语气间夹杂的骄傲与当初说着"体育部人手不够啊，忙死啦，夕夜你来帮帮我吧"的颜泽如出一辙。

以同样的居高临下姿态，掌控着别人的去留。

而夕夜的应对方式也一如既往，在更小的时候，就已经成为了一个漠然忍耐听凭摆布的人。

但是听凭摆布，不代表没有心、不会伤心难过。

下了最后一节课，天色早已暗了，一路月光凄凉。

吹着冷风走，起初多少带点目的性。去过咖啡馆、酒店、四下安静的冬夜里的体育场，那里有比白天时深了好几个色度的砖红色跑道，以及铁丝网。

交集仅仅这么一丁点，再往后只好漫无目的，走到哪里算哪里，迷了路反倒欢欣。

晚上九点半，本应去听系里学工老师的讲座，眼下，已经自暴自弃到“A级签到”的活动都不参加了。

路过一片居民楼，不知从哪个窗口飘出一首异常合景的歌，叫《失败的离弃》。

到寝室时，去听讲座的室友还没回来。

没有开灯，关上门临窗立在黑暗里，垂直在眼前的一条阔路，散落了静止的黄与红的光，两盏白光由远及近缓慢移动，一点艳绿时而亮时而不亮，街边有一爿小卖部，招牌发出幽暗蓝光。

宛如银河。

那些星辰从一个点向外扩散，抽出了丝，最后，变成被污染的颜料盘。

[六]

下一次与人交谈，已是三天之后，而对象竟又是路亚弥。

亚弥在路口和一个棕色卷发、马尾辫被吹得逆向飞扬的女孩挥手道别，转身后，夕夜就映在她视网膜中央。

两人一同去外卖门店买了热奶茶，边喝边慢慢往学校走。夕夜不想过早结束对话，步伐放得极慢，亚弥不得不走走停停。

提及刚才那个女生，亚弥毫无戒心地介绍说："那是我最好的朋友乔绮，高中和我同班，现在读财大。我们可要好啦，以前还喜欢过同一个男生。"

夕夜觉得"喜欢过同一个男生"并不能作为"要好"的例证。

"季霄？"

亚弥微怔，继而拨浪鼓般摇头："一个神似季霄的男生。"

"那后来是怎么解决的？"

"一眼就看出来了，他明显喜欢乔绮。最喜欢的人和最好的朋友，我怎么能看着他们因为我不幸福？所以，就退出咯。"

"但如果是和最好的朋友同时喜欢上了季霄呢？"某个时段最喜欢的人和整整六年一直喜欢的人，他们分量不一样。

"也得看季霄喜欢谁呀。"

"如果……"下意识地，使劲用左手拇指搓着右手拇指的骨节，目光的落点不知该定在何处，"我是说如果……季霄变得自私，两个都想要呢？电视里不是经常这样演吗？"刚说完便为这狗血兮兮的设想红了脸。

"欸？脚踩两条船？哈哈，那就不是我喜欢的季霄了。"

路程结束得比夕夜预料得早，离校门还差一个路口，亚弥做出了转弯右行的趋势。

"我去季霄和风间家，拜啦。"

有点失落："……嗯，拜拜。"

几分钟后，风势开始变大，从路的尽头传来浪潮般的呼啸声。

如同遵从着某个号令，无论朝向哪个方向的行人都统一扯起衣领弓起背，加快速度小跑。

三个穿冬季制服的高中生像发射的子弹头一样嘻嘻哈哈打闹着从身旁蹿过去，其中一个对另一个大声嚷嚷："笨蛋！那句话是我的台词啦！是我的！"

"谁让你愣在那里啊！"做着鬼脸转身退跑时，撞翻了夕夜手中的奶茶。

是撞翻的还是自己失手没拿稳?

新枝抽芽，繁花盛放，落叶腾空起舞，在缓逝而下的时光中，一束休眠后觉醒的记忆陡然溯涉。

高中时一场心不在焉的辩论赛，因为贺新凉的缺席。

眼角余光留意着演播厅大门，直到看见它漏出刺眼的光，宛如一群白鸟涌入大开的窗，但看清迟到进来的人不是贺新凉而是颜泽后，内心某处刚刚胀满的帆又瘪了下去。最激烈的自由辩论阶段，走了神，全然没注意对方辩手在慷慨陈词间夹带了对自己的点名。

几秒后才意识到，被指名作答的是"反方一辩顾夕夜"，而起身对答的却是反方三辩季霄。季霄反应之快，使现场没有一人感到唐突古怪。

恢复状态后落坐，隔过中间的二辩递去感激视线，触及的却只是对方毫无表情的侧脸，像什么也没发生过。

是无心之举还是有心掩护?

赢了那场比赛。在最后才赶来的贺新凉给夕夜的当面评价是"不错不错"，给季霄的评价也有关于夕夜的部分——"你和顾夕夜这对拉风组合还真登对。”

全班欢呼雀跃，击掌与拥抱相庆的喧嚣中，男生温柔的目光转过来，用只有你能听清的音量问：“没事吧？”

“欸？”你不明所以，只感到周遭忽然寂静。

他笑一笑：“我看你当时愣在那里。”

于是你的目光不由自主，第一次，从贺新凉身上移开。

用什么词汇去形容如此默契？

拉风。登对。

表面的拉风，与内在的登对。

决赛结束后的一天，从食堂吃完饭回教室，路边刚摆出“最佳辩手”全校公投，其他候选人都还是一两票，季霄和顾夕夜的名字下已经齐齐码出了几十条N次贴。

——表面的拉风。

颜泽向学生会干事要来一张N次贴贴在夕夜的名字下，比旁边长出了一小截：“我们家夕夜最最棒！”

是吗？

夕夜跟着她走到教学楼的楼梯口，停住说：“你先上去吧。饭卡……我忘在食堂了。”

然后飞奔回投票摊位，气喘吁吁地在干事好奇的眼神中让旁边那一列也长长了一小截。

——内在的登对。

不能，也不想，分出一个“最”。

五年后。

曾经烫着脸的，盛夏的空气。

变成砭人肌骨的，严冬的空气。

奶茶在路口流落一地，连同殆尽的温暖身不由己由高向低，最终与街边的纸屑与塑料垃圾静止在一处。

记忆前所未有地趋于清晰，但所拥有的一切也只不过余了记忆。

[七]

“刚才我在路上碰见了夕夜。”季霄还没到家，亚弥趁机展开话题。

风间从冰箱里取出蔬菜，摘下保鲜膜，放进微波炉，平淡地“哦”了一声。

亚弥刚想开口，却被突然蹿上桌面的壮硕白兔吓了一跳，几乎不能相认：“靠！你怎么把它喂得这么胖了！”

男生转过身，无辜地耸耸肩。

亚弥觉得他似乎心情不差，咽着口水问：“呐。你对她究竟什么感觉？”

“感觉……蛮可爱的。”

“不不，我不是指兔子，我是指夕夜。”

打开微波炉，端出热腾腾的菜摆在女生面前。然后带一点坏地笑：“我也是指顾夕夜。兔子么……完全不可爱。”

“这种伤人的话不要当面说啊。”身为名义上的主人，多少有点不满，不过，“你会用‘可爱’来评价夕夜，我觉得好意外。‘可爱’这种词明显是为我而存在的。”

男生摆好碗筷后，拖开凳子在对面坐下，长长地吐气以示内心无力。

“觉得她可爱，为什么不联系她？”

“我希望她幸福。万一她喜欢上我，那就惨了。”

“哪有人这样说自己的！”

“这是实话。初三时，我和并不喜欢的女生草率地交往过，相处得很累所以很快就分手了。幸好对方也不是太喜欢我，否则总有一方受伤害。”风间说，“有这种先例在，我觉得和她过多接触未必是好事。”

“我觉得你们都想太多啦。你是不是也看多了肥皂剧啊？”

“肥皂剧？”

季霄从马路对面觑起眼睛，认出那背影属于夕夜。不知为什么，她站在街角对着一杯打翻在地的奶茶默哀。

在匆匆往家赶去之前，有那么短暂的半分钟，男生停下过脚步。

用钥匙开了门，听见亚弥在说“很天真”，季霄顺势搭腔问：“在说谁呢？”

谁知女生突然打住，像被按下了静音，面露难色。

风间倒是全然不打算顾及谁的感受：“说顾夕夜呗。”

季霄一愣，将手中的外卖摊开在餐桌上：“哦。她怎么个天真法？”

发现“顾夕夜”在季霄这儿其实不是禁忌名字，亚弥松了口气，放大胆子继续刚才的话题：“她总是按电视剧情来判断生活。今天谈起季霄她还问，万一季霄变成脚踩两条船的恶劣分子我怎么办。现实和虚构的东西哪有可比性嘛。”

当事人有点无奈：“她怎么就不会把我往好的方面假设？”

“你也没把她往好的方面假设。”风间往嘴里送了口饭，含糊地说。

“你到底看不顺眼夕夜哪一点？我记得你们高中时很要好啊，有段时间整天出双入对，害我还伤心了好久，觉得自己一点胜算都没有。”

季霄看着眉毛眼睛痛苦地纠结在一起的亚弥，笑出声，把她揽过来摸了摸脑袋。

与颜泽分手的原因，一半在于夕夜。

每次和颜泽约会时都谨遵王牌军师顾夕夜的教诲，却招致颜泽日积月累的不满。

也清楚地记得她这样为自己支招：“我比任何人都了解小泽。她这个人挺要强，放在与男生交往的情况下就变成爱吃醋。喜欢和人争争抢抢并且从中深感乐趣的毛病从小就有，而对再喜欢的东西都只有三分钟热度的缺点也是与生俱来。所以我说，我们再刻意表现得暧昧点，她自然就会更加珍惜你。”

结果按照这个思路实践下去，却弄巧成拙，伤害了颜泽。

因为最后夕夜大笑着坦率地承认对颜泽的嫉妒，之前这所有的一切都找到了最合理的解释。

知道结局后往前回溯，就会觉得什么都是饱含恶意的伏笔。

没想过其他可能性。

没想过夕夜其实也没有任何恋爱经历，只是在套用肥皂剧剧情。

没想过，她对颜泽的了解，也许根本不像她自己想象的那么深刻。

“也许其中有误解。而我又是懒惰的人，打不起精神去追根溯源，彼此都说了过分的话，也做了过分的事，没有及时修补裂痕，就变成了陌生人。”季霄这样总结道。

“那当初又怎么会和夕夜成朋友？不好意思，我真心认为你俩都是冷冰冰硬邦邦的类型，”风间无所顾忌地发挥“毒舌”特长，“一个南极生物一个北极生物，能对上话都实属奇迹。”

“高中入学军训前，班导让她负责分发迷彩服，她找我去帮忙搬运……”

自然得犹如列车在道岔处换向另一条铁轨。

玩闹间突然听见有人在叫自己的名字，音色异常好听。

男生从教室后方飞快地向门口瞥去一眼，那里立着一个漂亮但看起来不太友善的女生。

她蹙着眉重复一遍：“季霄——是谁啊？”没有半点自己正在求人帮忙的觉悟，致使男生也没来由地慌张，滑稽地举手应道：“在、在这里。”

女生的视线转向目标，愣过一秒，接着莫名其妙地红了脸。

想来自己并没有健壮到让人一遇上体力活就想起，当时在走廊上抱着衣服就提出了疑问。

“单纯是因为你的名字很美。”夕夜说这话时，目光闪烁，游走在另一侧的地面。

印象中，自己这样回答：“因为叫出这名字的人是你，才显得很美。”好像使害羞的女生脸更红了。

其实并不是恭维。

季，霄，平凡普通的两个字。

组合在一起，也没有任何唯美的附加寓意。

但是夕夜独特的吐字发音，加上那种矜持拘谨的态度，赋予了它令人惊奇的温度。

像柔软和煦的微风悄无声息地拂过一望无际的绿色草原，淡得无法用色度衡量，轻得摆脱了地心引力。

许多年后，亚弥也惊呼："真的！今天我听见她叫你的名字时愣了一下，感觉连心脏都要融化了。"

什么童话里的神奇魔法？

风间有点好奇，又不止好奇。

[八]

每天晚上都回想一遍当天的经历，那会是相当可怕的事。

孤独显而易见，生活百无聊赖，近乎空白。

晚自习后，夕夜在校园里乱逛，意外地遇上久未联络的路人甲，他跟在身后叫："顾夕夜。欸！顾夕夜。"

"嗯。"没有回头。

"怎么每次见你都一个人，独行侠？"

怎么会是一个人。路灯在身后，自己的影子落在面前，低垂着头。

"喂，你怎么了啊？"

性格中那种激烈的棱角已经被抛光磨灭，想甩掉讨厌的东西，只能一声不吭越走越快。

越走越快。

越走越快。快得令季霄终于诧异得追上几步拖住她的胳膊："喂，你怎么了？"

那时候，手中拎着从校内便利店里刚买来的雪糕。

颜泽和新凉在体育部办公室等着季霄和夕夜回去。

有种不祥预感，具体无法定义。好朋友和喜欢的男生同处一室，每一根神经都忍不住绷紧。

我也不知道自己是怎么了，只感到鲜明的凉意开始萦绕周身，而所谓的温暖不过一首安可曲。

得在落幕前尽快赶回去。不是因为雪糕会融化，不是因为天气。

从那以后，果然，一切都分崩离析。

视界被铁丝网生硬地割裂。

不久前，那个曾是“反方三辩”的男生，就站在这里，决绝地对别人说“如果你非要和顾夕夜在一起，就表示跟我绝交”。

曾经的最佳默契，现今的势不两立。

眼眶刚刚稍微湿一点，就突然被隔绝了冷空气。

夕夜微怔，即刻反应过来，是老套的蒙眼猜人游戏。但对方掌心的温度，实在让她无法对此嗤之以鼻。

“猜猜我——”

易风间。已经浮现在脑海里的答案，绝对毋庸置疑。

“身边是谁？”

“哈啊？”身边是谁？

哪有这种猜法！但静下心仔细想想，可能出现在易风间身边，而自己还认识的人。选项不过两三种，不需要过于丰富的想象力。

浅浅的笑意倏忽僵在风间脸上。

得到回答之前，由于掌中那异常的潮湿触觉，先一步转过头，看向了自己身边的男生。

没有共同经历的人不会明白，视线中他因料定答案而松松舒展的眉心，与磅礴涌过指缝的她的泪水，之间有什么联系。

最美的音节绽放在夜色里，让听闻者内心无不轻微颤瑟，唤醒了所有关于温暖的过去。

“季霄。”

我想念你。

第三话

【The Weather With You】

——曾经，是什么使你停顿？是什么使你流连？

——而如今，要怎么凭借眼前这个人去想象另一个人的一生？

[一]

——怎么会通过名字的好听程度来选择搬东西的搭档？太乱来了吧。

——因为我觉得名字越动听，本尊越有可能又丑又粗犷，不会传出绯闻。

——我反倒觉得，通常中考状元才又丑又粗犷。

从一开始就是互相不屑的辩论，没有走向暧昧的可能性。

也正因如此相处得轻松异常，成为彼此唯一交心的异性朋友。

“想不到你和季霄有这种友谊，真令人羡慕。”风间感慨道。

“你呢？”

“我什么？”

“有类似的友谊吗？”

认真地思忖一会儿，接着摇摇头：“完全没有。”

女生对他的侧脸凝视片刻，伸过修长的手，温柔地拍拍他另一侧肩胛，用类似自我安慰的语气说：“好可怜。”

[二]

那么我们的相遇相知，又是缘何而起的契机？

不管你信与不信，我有幼年时残留的记忆。

出生在阳光碎裂的日子。躺在摇床里的婴孩，她是我。她吮吸着自己的手指笑得不知忧惧，我却以旁观之姿心如死灰地看清了自己纷扰难堪的一生。

慧极必伤，情深不寿，又断不了庸常奢望。

被孤独和迷惘推着后背，我走向那个阴影浓重的地点，而恰于此时，你沉抑的怜悯从黑暗中浮出海平面，转化成无名的光粒子，不可思议地遏止了我内心的张皇。

下午第三节课后，风间依据短信指定的地点到教室找夕夜。学生正三五成群聚在一起讨论着什么。男生很快认出不远处的夕夜，但没有走向她身旁，只是倚门而立。黑板上第一行用稍大的字体写着：

期末小组作业可选课题：

接下去是题目。标注了序号。从1到7。

夕夜所在的小组爆发出一阵骚乱，男生转头看过去。

一个外卷长发的女生双手交叉在胸前：“反正我不管，要么她走要么我走。”她身边那身高足有一米九的眼镜男笨拙地打着圆场：“哎，你不要这么情绪化。大家只是在一起完成作业而已。”

“我就是无法跟这种品行恶劣的女人共事。”

被指为“品行恶劣的女人”的夕夜缓慢地眨着眼睛，语气平静地对那长发女生说：“但我并不认识你，以前没见过你，请问我什么时候得罪了你？”

“陈瑶茜是我朋友，她你总该认识吧。”

思绪崩断，像单排梳突然豁了齿，夕夜连呼吸也阻梗起来。同组的其他几个学生都不明所以地看向她。

“……还是说，你连她也不认识了？呵——因为你的所作所为而休学的人，你却能这么轻易忘得一干二净，还真是符合你顾夕夜的一贯做派呢！”

无论怎么努力，喉咙深处也只能发出含混的吞咽声。

其实在听见那个名字的瞬间就已经失去了反驳与争辩的能力。

不知不觉，指甲深深嵌进自己的皮肤里。

“怎么？直到现在还要坚持这种无所谓的态度？”女生冷笑一声，“顾夕……欸？”

咄咄逼人的非难因某人出现戛然而止。

夕夜还没反应过来对方为何未能顺利继续，却感到左手手腕被轻柔地牵了起来。

牵起夕夜的风间对卷发女生淡然道：“适可而止哦。如果你和我每任女友都过不去，我就只能理解为你看我不爽了。”施过定身术后又转过头对夕夜说，“你也应该适当尊重别人嘛，人家辛辛苦苦抢了你前男友，你怎么可以连去认识一下的兴趣都没有？”

围观的同班同学听得云里雾里，被其中复杂的关系绕了进去。

风间冲面色转青的卷发女生微微笑一点：“……你说对吧，

单若水？”

雨点顺檐滴落，森森的长廊深处笼罩着琥珀色的雾霭，好似悬浮了仇怨魂灵。空气微寒，又因蕴涵过多水分而变得沉重。虽然没淋雨，但夕夜感到衣服被濡湿了。

出教室拐过楼梯，风间立刻放开了她的手。

“老实说，我不喜欢逆来顺受的女生。那个黑着脸果断说着‘拜托别再来烦我了’的顾夕夜哪儿去了？”

“我不是逆来顺受，而是自作自受。”夕夜将目光转向一旁的地面，“有些事你不了解。”

“陈瑶茜么？我多少知道一点。不过单若水并不是她的朋友，对她的了解程度大概和我差不多。总而言之，单若水没有任何女性朋友，这个我再清楚不过了。”

“……”

“走吧，”男生从外套口袋掏出手机看了眼，“不是约好一起吃晚饭么？”

“……陈瑶茜的事……你什么都不问吗？”

“等你想说的时候自然会说。”

“你这样……反而让我更愧疚。”女生跟在后面走出几步，又再次停住，“对不起，我利用了你。”

男生回身注视她。

寒风倾注进走廊，从两人中间穿过。

“我知道她是单若水，上节课考勤抽查点名时就知道了。今天叫你来也是故意的，我想向她炫耀。但我没想到她会突然提起陈瑶茜。其实说到底我还是自作自受。”

夕夜不敢去看那静置在深深眼窝里的犀利的眼睛，只是盯着他冷酷的薄唇，已经对即将吐出的言辞做好了心理准备。

但出乎预料的，那双唇弯出一段柔和的弧度。

“炫耀？第一天不就说了随便借你用吗？是你自己拒绝了。”

“……那不一样！我并不想演戏。”因为神经紧绷而变得滔滔不绝，“我不想借一个帅哥来争回一口气，但如果得到真实的幸福，我也会想炫耀。单若水脾气不好，稍稍一句不悦耳的话她就会被激怒，如果她和我发生争执，我猜你会出面帮我，这样就顺理成章让她感到和我当时同等程度的悲伤了。对不起，我不是你想象中那种单纯可爱的女生……”

“我没认为你是单纯可爱的女生。”男生幽幽地插进一句。

“欸？”

“你也完全可以事先跟我商量，何必绕这么一大圈。”

“可是我……”女生嘟哝着，音量渐小，身不由己往旁边的一根廊柱后面躲，看起来有点滑稽。

并不确定自己是不是得到了真实的幸福。

不知道你对我的感觉。

我要怎样和你商量，你才能理解？

即使到此时，我都无法把心情转化成言语表达出来……

我……

忘了是你叙述中何年的暮春初夏，星斗虚悬，高大的乔木如剪影，一簇一簇白的粉的花在静谧中堆叠，没有浓烈的香气，却开得喧嚣而张扬，使幻觉丰盛。

又听见风声呼啸，无形的气流在枝杈间游走穿梭，楼道里溢出温暖的淡黄色灯光。

那些细节，在许多年后被碾压成记忆，定格在你大脑皮层的浅处。那时的少女带着怎样忐忑不安的神情推门而出，你依然历历在目。

此时虽已是深冬季节，却分明有什么与当年相似。

我的语气和音调像极了你最熟悉的某个人——在灰色云层堆积于天空时为你照亮整个世界的那个人。

我与她都具有某种特殊的属性，能让你在优柔、脆弱前变得坚定。

于是你，也依旧站在那片阴影里，一脸平静，言之凿凿——

“我知道你喜欢我。只要对我说这句就够了。”

可悲的是，那时的我一无所知。

夕夜的瞳孔在瞬间收紧。与冻结了表情的脸形成对比的是被狂风扯着满面乱飞的发丝。

愣了长长几秒，她蹙了眉紧抿着嘴，却还是忍不住湿了眼眶。

踮起脚尖伸过手，默不作声地环住风间的颈部，直到把脸埋在他锁骨上方才发出沉闷的呜咽。

像一根冰锥精准地刺向心脏。被钉在原地不能动弹的人，换成了风间。

你如此神情，是否真的意识到今昔两个女生的不同。

无论在亲情、友情还是爱情的范畴中，我都从未得到过爱，从未被任何人真心对待。

犹如被掏空五脏六腑奄奄一息的生物，已经失去了索取的力量。

锱铢好意，都可能，成为我维生的氧。

[三]

由于都没带伞，天色渐暗又毫无停雨的趋势，两人只能先奔回风间和季霄租的房子里，到家时全身都湿了。

“我来叫外卖，你先去冲澡。”

“……可是我没有换穿的衣服。”

男生顿了一下，进房间取出衣服和毛巾：“我的借你。”

洗完澡，才顾得上环视屋内，不由发出感慨：“你和季霄……有洁癖吗？”

“季霄略有。”男生发现她尴尬地立在空地处，帮她拉开餐椅，把刚送来的比萨外卖拆开放在桌上。

“说起来，你没买季霄的份啊。”指比萨。

“他今天和亚弥约会，应该不会回来……”

“不会回来？呃……还真不像他的风格，变化好大不能接受……”女生失神碎碎念。

男生邪气地笑一点，补完整句话：“……吃饭。”

“什么啊！”才反应过来被耍了。

“就算不回来也不奇怪吧，他已经二十多岁了。”

“对哦，时间过得好快，我对他的印象还一直停留在十七岁。”

“十七岁时到底发生了什么导致你从此失忆啊。”男生只是不经意地随口问。

女生却不无凄凉地苦笑起来：“不知道还以为你故意哪壶不开提哪壶。失忆的人又不是我。”

“啊……该不会是高二时阳明中学那个坠楼事件吧？一个女生失忆一个女生死了。叫……颜泽和萧卓安对吧。那时候本市新闻每天滚动跟踪报道。”

“是我的两个朋友。季霄没跟你说吗？”

“没有。我们不交流这个。”

“说是朋友，现在想起来真讽刺。”夕夜长吁了一口气，眼睑低垂着，有节律地用塑料叉子戳比萨，却一口也没有吃，“我最笨的方面就是交朋友太一厢情愿，人家根本就从没把我当朋友。卓安的爸爸是政府要员，她虽然家境一般，但她从小一块儿玩的朋友要么是家里有权有势的要么是非常有钱的，你明白么？就是那种公主，人也漂亮头脑也好，除了脾气有点火爆几乎挑不出什么毛病。”

风间微笑：“这样的女生好像每个圈子里都有一个。”

夕夜继续说：“有一次她过生日，我整个月没有吃早餐，把钱省下来买了个绒毛小熊送她，在我印象中，她很喜欢娃娃之类的东西。我妈当时刚过世，我寄住在别人家，拿出这样的礼物已经是极限，但在她收到的礼物中完全不起眼。她接过礼物时说了一句‘我还以为是泰迪熊呢，这熊好丑啊’就随手扔在沙发上。后来整个晚上都没有再碰过那只熊。可以说我是个没有童年的人，也从来没收到过绒毛玩具做生日礼物，在我眼里熊就是熊，它们都长得一样，我不知道什么是泰迪熊，就算我知道也买不起。那时候，看着被丢在一边的小熊，我特别……想偷回去自己玩。”

男生本来深陷剧情，听到最后一句不由“噗”地笑出声：“你怎么就这点志向，我对你无语了。”

“我是说真的，觉得她不喜欢，还不如自己留着，但送出去又不好意思要回来。所以纠结了一晚上。当然现在想起来，觉得自己蛮悲哀的。而且后来寄养的那户人家又发生了一些事，在我最糟糕的时候，她竟然一声没通知就跑去了国外。”

“何止悲哀，处境这么悬殊，人家又不拿你当回事，干吗做朋友？”

“我本来就没什么多余选择。”

“那另一个呢？”

“颜泽？事后我也想明白了，我拥有颜泽最需要而得不到的东西，颜泽拥有我最需要而得不到的东西，我们互相嫉妒，又不能互相理解，根本不适合做朋友。”

“能让你嫉妒的人？我有点好奇。”男生顿了顿，“嫉妒她哪方面？”

“她擅长交际，和什么人都能做朋友；家庭幸福，拥有宠她爱他的双亲。亲情友情都完美得无以复加，更何况……”夕夜长吁了一口气，“我喜欢的男生喜欢她。”

记忆深处的某些沉淀物被轻轻晃了起来，浮上水面。

收拾了餐盒再进得房间，风间见夕夜正拿着自己和高中时好友的合照打量：“发现不和谐之处了吗？”

其中一个女生闭着眼，另一个女生侧头望向镜头之外，剩下那个男生则看着侧头的女生。除了风间，没有一人看镜头。

夕夜当然注意到了，指着侧头的女生：“她叫什么名字？”

“夏树。”男生顿了顿，“为什么特别问她？”

“风间的恋人。”夕夜指着照片上的夏树，接着又指向照片上的另一个男生，“风间的情敌。”

男生在她身边的床沿坐下，微笑起来：“怎么知道的？”

“观察嘛。表情，距离，肢体语言。”

“挺犀利啊。什么都瞒不过你。”

“但我觉得，还是有瞒着我的部分，不是么？”夕夜转过头，盯住他的眼睛。

风间一时哑然。

“是情敌，又不仅仅是情敌”的部分，曾经对夏树那么轻易地和盘托出，此刻面对夕夜，却做不到毫无保留，能做的只有诚实地点点头。

弹指之间，深深的孤独与无助在夕夜内心疯狂地滋长起来。宛如世界行将毁灭，视线所及处却已杳无人烟。

每个人心里都有一座幽深的迷宫，无法通过抚摸他的脸或亲吻他的唇去感知、探寻路径。瞳孔是唯一的入口。

但风间有一双决绝的眼睛。坚定、坦诚地，拒人于千里之外。

其实夕夜自己也不明白，悲伤从何而来，她是如此敏感而脆弱的女孩，连自己都感到意外。

其实夕夜自己也不知道，这悲伤已经渗进了她潜意识的最深层，它将在未来的某些时刻成霜成雪，封冻出一个寒入骨髓的极地。

而此刻，女生只是勉强挤出微笑，语调中混着一丝哀求的余音：“等你想说的时候……我会愿意听。”

房间里再没出现声音，被刺痛了的，是两颗心。

[四]

客厅里有些奇怪动静，想必是季霄他们回来了，夕夜正为难于无处藏身，见面会有些尴尬，推门却只见亚弥。

“季霄人呢？”风间先开口问。

亚弥忙脱了湿透的外套，一头扎进浴室关上门，过半晌，回答才伴在水声里响起：“逛花鸟市场时突然下起雨来，所有人一起奔走避雨，一不留神就走散了，季霄的手机又放在我包里。我好不容易抢到辆出租车，就先回来了，想必待会儿他找不到我也会自己回来。”

夕夜问风间家里的雨伞放在什么地方，男生帮她开了阳台门，取了伞：“你要去接他？”

“找不到亚弥，他是不会自己回来的，”边说边像自我肯定般地点点头，“伞只有一把，我去找他，你们在家等吧。”

风间不解地看着她匆忙的身影消失在楼梯拐角。

在旁观者无法知晓的过去。

高一第二学期时，交往中的季霄和颜泽一起去公园看烟火大会，回来后颜泽闷闷不乐，季霄只好向夕夜寻求帮助。

记得是刚刚转热的初夏，晚饭后自修前，女生刚洗完澡，脊梁周围已经蒙了一层薄薄的汗，路过教学楼的落地镜时往里面不经意望一眼，长卷发的上半截是奶茶色，发尾处还是潮湿的，暗灰褐色。

以这样闲适的心情自然无法体会别人内心的焦灼，一丁点过失也被无限放大。

夕夜蹙眉转过头，语气中带着嗤笑成分：“哪有人会看烟花看得把女朋友弄丢！”

“……我也道过歉。”

“走散后你就自己回家了？没找到她怎么能安心回家？”居高临下盯着他再拔高音调重复质问一遍，“你怎么能安心呢？”

男生哑然僵在四级台阶下。

依然记得那时。

落地镜反射的强光罩在他脸上，却掩饰不住。

未被安抚反而愈加愧疚的神色。

对颜泽的嫉妒强化到无以复加，竟以刺痛她喜欢的人为乐，可又说不清为什么，得逞之后，连自己也被刺痛了。

季霄是那么单纯的人，对自己的每句话都信以为真。

想说“对不起”的欲念从五年前逶迤至今，哪怕天地之间被瓢泼大雨涂抹得一片暗黑，曾经那世界的棱角与界线都不复清晰。

凉亭外一洼洼积水坑里的水纹逐渐消失，身边避雨的人群散尽，惟余下零落雨点顺檐滴落的声音，此时才觉察路灯早已亮起。

“得尽快找到亚弥。”正这么想着，季霄听见由远及近呼喊自己的声音，停住脚回头张望。

夕夜手里拿着一把收起的伞，朝这边紧跑几步，又在两三米开外停住：“季霄你这个……笨蛋，要抱柱而死吗？”单凭声音听不出是笑腔还是哭腔。

但两三米的距离，让人能够无误地捕捉到一切细节——

抽动的鼻翼和微红的眼眶。

被淋湿的额发与顶发，暗灰褐色。渐变至奶茶色的蓬松发尾。

幽暗夜里，赤白橡色的灯光温和地倾泻在了她的肩上。

——总有些线索与过去相连。

[五]

雨后是一连数日干燥的大晴天，一碧万里的天气总让人蠢蠢欲动计划出行。

夕夜伸手去开车门，却和风间指尖相撞，兀地擦出一簇静电火花。

男生在她缩回手后，笑嘻嘻地继续着把门拉开的动作：“被我电到了。”

“你少自恋。”夕夜拉住坐垫，无奈越野车太高，上不去，努力挣扎了两下，风间索性把她抱上座去。

女生等他回到驾驶座，接着问：“怎么换了辆车？”和先前坐过一次的不同，换车这么频繁，似乎不是太好的征兆。

“没有彻底换，只是和你出来时开这辆，你是我的女人，应该享有不同寻常的待遇。”

夕夜愣了愣：“这辆车，虽然好，但我不喜欢。”

“为什么？”

男生转过头看向她的侧脸，迎上的是她回视过来的目光。

“车太大，离你太远了。”

女生脸上依然是麻木冷漠的神色，仿佛没有任何情感，这使人总要缓过几秒，才能觉出她话语间的暖意。

离电影开场还有两小时，风间提议去咖啡馆喝杯咖啡消磨时间，走到门口时像是临时起意般随口说：“这家店我高中时就常来。”但翻找当年的留言簿的神情，却又让夕夜确定他是蓄意而来的。

在其中一本留言簿上，有高中时的风间和夏树写的誓言。风间对夕夜断断续续聊起一些他和夏树的过往。

“你怎么定义她那个人？”

“自私却有自毁倾向，极需安全感却不信赖安全感，爱我……却始终无法确定是否应该爱我。一个矛盾的人，我拿她无解，连她自己都拿自己无解。”

“这种人我见过。”夕夜肘部支着桌子托腮，嫣然一笑。

我们总是依照旧日情人的模式去寻找新恋人，哪怕那种模式恰恰是导致彼此疏离的原因。

有时也未必意味着情感上的念念不忘，而仅是一种偏好与习惯。

从咖啡厅走向停车场途中，风间牵过夕夜的手。手心与手心交叠处，渗出分不清归属的细密汗珠，填补了掌纹纵横留下的间隙。

觉察到夕夜一路沉默，男生开口问：“生气了么？”

“欸？”

“看见从前的留言，会生气么？”

“不会，”女生险险地让过一辆疾驰的车，先只是条件反射作答，又过了两三秒，才反应过来风间在问什么，“……你该不会是为了让我吃醋才来看的吧。”

“怎么可能？”朗声笑了。

夕夜反倒觉得有些尴尬，佯装不经意地瞥了眼他的侧脸，一个小小的动作便触发了耳道里两种声音嘈杂的纠缠。

我爱你，想了解你，了解你的世界。夏树是你世界中不可回避的一部分。

然而在甜蜜的过去，总有那么一两个瞬间，你牵过她的手，手心与手心交叠，含混了彼此的温度与汗水，不分彼此，没有间隙，就像此刻你我一样。

我凭借凋零的花瓣想象曾经的绚烂，凭借断续的音符想象往昔的悠扬，凭借残存的传说想象旧日的美好。因为我最先见了终局，所能触及的空余记忆，展现于我眼前的一切都在证明一个真理——

“不可回避”终有一天会变成“不堪回首”。

人类穷尽了智慧也无法定义永恒是几年几月几分几秒的跨度。

告诉我凭什么相信，连定义都不存在的存在。

[六]

和风间一起看了个战争片，由于是冬季档期的首个商业大片，全城一大半人都出动了，影院里座无虚席，影院外一票难求。整部电影虽然耗资空前，但唯一出彩之处是女主角的演技。

风间在拥挤的人潮中辟出一小块空间让夕夜先上自动扶梯，女生站定后仰头回以致谢的眼神。

男生起先站在比她高一层的台阶上，觉得别扭，便下了一级。

夕夜顺势挽过他的胳膊：“女主角是季霄的表姐，他跟你说过吗？”

“嗯，说过。好像以前是唱歌的吧，后来转向影视了。”

“她还是我们阳明中学的学姐。在高中时我就很崇拜她。”

风间侧目，对“崇拜”一词感到有点诧异：“为什么？”

“我和她也不熟。对她最直观的印象是高一新年晚会上的弹唱，虽然那时她没有出道不是艺人，钢琴弹得也不算专业，但她身上有种非常阳光的东西，周围人很容易受感染。就是那种……不管什么挫折都无法击垮的自信。”

风间微怔。

不管什么挫折都无法击垮的自信。

每每谈及这种特质，你想起的不是哪个偶像艺人，而是中学时代的某个普通女生。

你告诉我，高二的时候，17岁的夏树转学来与你同班。

瘦脸颊，寡薄嘴唇，楚楚文弱，眉宇间却隐藏倔强。绾成细辫的柔顺长发也变成了齐着下颌的短发，比初中时更显冷漠利落，恬静寡言。大片白光从教室前门涌入，融化了她半侧身姿。

此前那么漫长的分离，你思念她多过淡忘，费尽周折探听她的近况，知道她随父亲去了外地后处境糟糕，逃学，违纪，成绩一落千丈，人际关系紧张，与不良少年交往，引发了械斗事件，陷入四面楚歌的境地。可在你脑海中却怎么也勾画不出那副叛逆张扬的模样，你所能回想的，只有那个翘了补习课沉默着跟在你身后走过四个街区，当你转身预备发作时，温婉一笑，将掌心摊开在你下颌处的少女。

你知道，想象只是记忆的延长线，不可靠。想象得出她温婉的微笑，想象不出她微笑时眼中闪耀的暖光。只有现实中的重遇才能证明一切没有改变。

她敢于向那些满怀敌意的女生公开宣战，把背地中伤的、乱传谣言的小人一个个揪出来打击报复回去，不惧怕寂寞也不依赖旁人，懂得分享与原谅，一寸一寸地收复失地，哪怕整个世界都倾覆，她也有摆正它的力量。

夏树依然是夏树，她未必特别美，未必特别聪慧，她的自信有时显得没来由，但不管什么挫折都无法击垮。

她也有忐忑与踌躇，但最终的恬淡莞尔总让你无论时隔多久都能想起曾经……

风间送夕夜到她寝室楼前的自行车棚边，临别时拉了拉她的手："早点休息，睡前给我发个晚安短信。"

夕夜走出几步，三个打扮花哨的大一女生嘻嘻笑笑地从身后超过她跑向前去，用撞的姿态推开楼门，娇嗔着呼朋引伴，夕夜也加快脚步往门口赶，却被门口一对正在吻别的情侣引开了注意。那男生个子不高，站在比女友高一级的台阶上，情形着实滑稽。

夕夜在心里偷偷笑，又有些怅然，在楼道门口逆着风转过头，风间已经走远了。

——曾经，是什么使你停顿？是什么使你流连？

——而如今，要怎么凭借眼前这个人去想象另一个人的一生？

[七]

周末，夕夜回了趟养父母家——也即是颜泽家，听说颜泽代表学院赴香港短期交流，并拿了英语演讲竞赛二等奖。父母谈及女儿的成就，语气间多少带点夸张炫耀。

夕夜笑吟吟听着，偶尔跟着赞叹两句，心下暗忖：颜泽从小就千伶百俐，心机深细，父亲是驻外大使，母亲是外企高管，内因外因相加，获此成绩也不足为奇。然而再深思下去，这种竞赛多半有猫腻，凭着她父母的关系，说不定享了什么便利。如此才平了不忿。

母亲去世之后、被颜泽家收养之前，夕夜也曾在别的家庭短暂停留，那家只有一个男孩，名叫顾鸢，比夕夜小三岁，也聪敏过人，“姐弟”间全然没有如今与颜泽这般彼此嫉妒，友爱亲密地度过一段极快乐的时光。最后反倒是与养父母之间发生一些难于启齿的冲突矛盾致使相处不再融洽。最后，养父母以将要被派驻国外工作的借口将夕夜转托付给了同事——颜泽的父亲。

不知什么原因，听说顾鸢独自留在国内。但夕夜和他断了联系。

刚上大一时有一次被高中母校请回去介绍高考经验，竟在走廊上遇见穿着高一校服的顾鸢，一瞬间怔忡不能移步，内心五味杂陈，定在原地。

男生走到她跟前脱口而出的是“姐”，而与此同时，夕夜却只是尴尬地挤出一句“你好”。

从那以后，夕夜明白一切都无法挽回了。

[八]

之后一周的周四晚上，亚弥正和室友编段子、搞模仿秀，取笑某个有点迂的任课老师，隔壁寝室的一个女生穿过中间的盥洗室倚在门口喊：“亚弥，你的电话。是个女的。”

“找我怎么找去你们寝室了！”这厢正笑得上气不接下气。

来人说：“拨错一个尾数，我也懒得多费口舌让她重新打，正巧要来问你借洗衣粉，就叫她在那边等着了。”

亚弥从橱柜下面取出半盒洗衣粉给了她，摇摇晃晃地跟去了隔壁，拾起听筒时还没收住笑。

“什么喜事惹你这么高兴？”伴着说话声还有风声与马路上车来车往的噪音，听上去夕夜在边走路边打手机。

“哪儿有什么喜事，不过一个呆老师罢了。姐姐找我什么事？”

“我这儿倒有一件喜事。我一个师姐结婚，下月办酒席，因为我在她任助教的课上当过课代表，交情不错，偏要让我当傧相。我虽然没当过傧相，可也晓得不光是席间站在她身旁当个摆设，总要陪着她操办置新，我看东西的眼光不行，正愁着怎么办，风间就想起你这小精怪，让我找你周六跟我们一起去趟郊区的建材市场，不知道你得不得闲？”

“我有什么大事可忙！再大也大不过婚姻大事，当然是要去的咯。”女生一转身，见几个女孩朝自己挤眉弄眼地笑，扮了个鬼脸，“要不要再叫上个男丁去帮忙搬东西？”

“那倒不用的，风间他也不去。订好的家具摆设一般都是隔几天送货上门。你来就行了，这么说定了，明天我再给你短信约碰面时间和地点。”

“好的，那我就等着了。夕夜你下回别再拨错电话了，我在隔壁。”

挂了电话，屋里的调笑声也压不住了，一齐哄闹着：“亚弥要和谁结婚？季霄吧？”

亚弥嬉笑着拧了其中两张脸就跑。

“谁结婚？你们才结婚！你们全家都结婚！”

刚逃回自己寝室又在门口被室友拽住：“再不来接电话，季霄就被我抢跑了哦。”

亚弥一边伸手接听筒一边问：“什么时候打来的呀？”

“打来有一会儿了，我和他聊着，谁让你那么慢。”女生嗔怪着回了自己的座。

季霄问她刚才去接什么电话，回答说是夕夜邀自己去逛街，季霄那头沉默了片刻没接嘴。然后两人聊了聊当天吃的菜见的人，就道了晚安。

同寝室的问：“今天怎么才说了这么一小会儿？”

女生扭亮台灯摊开书：“明天有英语课，作业那么多，哪儿有心思谈恋爱。”

“作业多又不是一天布置的，你把每天跟季霄煲电话粥的时间省一半出来，别说那么点英语课作业，只怕连GRE都考下来了。装什么好学生！”

亚弥回头冲准备就寝的室友吐吐舌头，憨笑了两声。

[九]

季霄匆忙挂了电话，抬起窗，朝楼下叫了声“易风间”，倒把正僵持的风间和夕夜吓了一跳。见两人依然呆呆地站着不动，又紧追了一句：“怎么不叫夕夜上楼来？”

风间拉着夕夜转到门前，把手里的塑料袋递给季霄：“我送她回家。”季霄这才发觉他喝了酒。

女生在一旁边推他进屋边解释：“和几个朋友吃过晚饭闹了一阵，他喝得不少，走到这楼下酒劲才上来。说让他别送我，他却偏不肯，真是固执死了。”

季霄把塑料袋又递还给他，推他进去：“行了行了，路都走不稳还送别人。夕夜我去送，你进去休息，放一百个心。”

于是季霄和夕夜两人一路往学校走去，问答稀少得可怜，略有些尴尬。

过半晌，季霄长吁了一口气问道：“你和易风间在交往？”

夕夜瞥他一眼，又飞快把视线移向一侧地面，“嗯”了一声。隔了片刻，终于忍不住：“你不同意？”

季霄“哧”地笑出声：“我又不是你爸爸，我同不同意有什么关系。我也没什么立场反对，当初那么说多半是置气……”说着顿了顿，叹口气，低声继续，“和他在一起，怎么想都是你倒霉。”

这次笑的人换成夕夜："过几天他就会把我吃了？"

"你别笑。"季霄突然停住脚步。

夕夜也停下来，回过头。

男生犹豫再三才说道："他心里有别人。"

景深里路灯延出一道渐弱的光的轨迹，切割着厚重的夜幕，左侧是沉入寂静的校园，右侧是车辆依旧川流的大街，一边耳畔传来忽强忽弱的噪音，仿佛半梦半醒的世界在呼吸。

寒风刮着脸颊，看不见的气流从彼此之间疾速掠过。

女生缓慢地眨了眨眼睛，只丢下淡然一笑："这我知道。"

第四话

【The Weather With You】

绯红色的云在空中展成羽翼形状。

这就是陆地上所能看见的，最美的落日景象。

看不见的，云层之上其实是另一番辉煌。

[一]

“虽然认识的时间不长，但我觉得夕夜你是个不太果断、缺乏行动力的人哦。所以作为朋友我还是很在意，你是不是从来没问过风间在他心里你和夏树谁更重要？”亚弥说。

“我不想给他压力。”

“与其说不想给他压力，不如说不想给自己压力，提起这些可能让他静下心思考、找出正确答案的话题，害怕那个答案会导致你们关系崩溃，对么？”

被说中了。夕夜缓了两秒，不露声色地将问题推还给对方：“说起来容易。类似的问题，你问过季霄吗？”

“问过呀。”

夕夜吃了一惊，扭转头：“季霄怎么回答？”

“你也知道，他这个人是不会说什么甜言蜜语的。”亚弥轻描淡写地笑笑。

这时，付完款的学姐从收银处跑了回来，把一叠收据单塞进夕夜手中她自己的皮包。“可真是累死了。”

“我们效率挺高了，总算落实了几个大件。”亚弥是乐观主义者，“说起来，结婚也是件麻烦事啊。现在得去广福寺还愿了吧？”

事前学姐提起因为之前许过爱情愿，现在成了真，所以今天下午想顺道去还愿。

夕夜推辞说：“你陪秦姐去吧，我自己先回学校。”

“一起去嘛，既然这么灵验，我们也许个愿呗！”

女生摇头笑一笑：“我不信神明。”

[二]

夕夜在离学校还有一段距离的公交站下了车，独自走回寝室。

途中西北风刮得紧，当时没觉察，进了楼道才感到脸上生起一股割裂的疼痛，忽然间眼眶湿一圈，使视线也变得模糊了。

刚上了楼就接到风间的电话，男生几乎立刻就觉察出她的哭腔：“怎么哭了？”

“没有啊……大概被风吹得有点感冒吧。”

“自己要注意身体啊，总是穿那么少，可不是弱不禁风么。”顿了顿，接着说明来电初衷，“亚弥刚打电话说晚上和秦浅吃烧烤，让我带上季霄开车去接你，秦浅她男友也会从公司直接过去。大家聚一聚。”

“嗯好，我准备一下，你大概几点钟过来？”

“六点能准备好么？”

“能。那……到时候见。”

“到时见。”

夕夜阖上手机，抽了抽鼻子。

你是如此温柔的人，对我称得上无微不至，然而和你在一起却使我感到了前所未有的锥心的痛，连贺新凉也不曾让我这样难过。

亚弥一语道破真相——

我不敢有抱怨，不敢有异议，不敢给你压力，是因为我知道这幸福来之不易，更因为我清醒地明白它脆弱得不堪一击。

习惯了你对我这样好，怎么去习惯没有你的未来？

从前每当我受到伤害就会安慰自己，我长得不差，脾气也不坏，将来总会遇见一个真正爱我的人。可如今我却总在想，倘若那个人不是你，我该怎么办？

冒着失去你的风险亲手揭开彼此微笑的面具，我没有这种“坦诚相待”的勇气。

[三]

十七岁时，一无所有。

没有父母，没有朋友，也没有男生喜欢自己。

但也没有像如今这样瞻前顾后。

受了再大的伤害，被最大限度地嫉妒与孤立，也会倔强地重新打起精神一个人走下去。

和书本里没什么存在感的难题作战以消磨时间，看各种明星的八卦或护肤美发的资讯以分散精力。早晨起来刷牙时看见镜中绝非平庸姿色的自己，对身为级花被小学妹崇拜这件事心知肚明，安慰安慰自己，对自己说“将来会好的”，自愈力好得很，日子过得其实并不艰难。

然后是十八岁，十九岁，二十岁。

二十岁时，心态突然就改变了，也并非需要什么契机，在年龄以2开头后自然会发生转变。低年级学妹骂起人来张口闭口地称你为“大婶”、“大妈”，你很难不意识到不复年轻，从容不在。

那种任凭什么也无法击溃的信心在不知不觉中自己瓦解崩溃了。

如同生命力殆尽的植物，伸展枝叶想要纠缠住身边一切可能成为依靠的东西，以抵御有朝一日台风的不期而至。

不知道为什么，过早地陷入了一种悲哀的恐慌。

“……什么呀！你昨天还杀了我一百多次！世界上没有比你更差劲的BF了！”亚弥娇嗔着嚷嚷起来。

“谁让你抢我装备。”

秦浅被饮料呛住，咳了几声才插话：“没看出来，季霄同学幼稚到跟自己老婆抢装备。”

“我……”男生觉得分外委屈。

夕夜在一旁只能陪着傻笑，有关游戏的话题完全听不懂，自然也插不进嘴。

期间风间还说到什么“村镇”、“派系”，让夕夜颇感意外，原先以为他不是那种会玩网游的男生。

隔世之感愈发强烈了。

和一桌好友同席共进晚餐，却感到孤单和无所适从，逐渐听不见嘈杂的交谈声。夕夜低头垂眼，伸过公筷拈了面前的蘑菇往烤盘上放，然后把之前烤好的培根分到正忙着滔滔不绝的各人的碗里。

过了不久，秦浅学姐的男友匆匆赶来，学姐不太高兴地瞥他一眼：“怎么这么晚？都快吃完了！”

“加班嘛……路上还有点堵车。”赔着笑脸。

亚弥一看气氛不对，生怕男生觉得面子上挂不住和学姐闹别扭，赶忙笑嘻嘻地帮着圆场：“这个点肯定到处都在堵。”

谁知没好气的却依然是秦浅：“知道这个点堵车就该早点请了假出来，你哪天不忙？哪天不加班？”说着说着还不自觉拔高了音调，语气就像训斥小学生的班主任。

男生倒丝毫没觉得不妥，笑着点头：“知道了，下次一定注意。”

秦浅这才作罢，语调冷淡地朝面对此景目瞪口呆的朋友们介绍道：“这就是我BF。”

男生弓下腰落坐，谦和地笑着补充说：“我叫谭奚。”

夕夜从一侧静静观察他，身高一米八左右，偏瘦，戴眼镜，窄版剪裁的西装很衬他得体优雅的气质。比秦浅大两岁，介于男人与男孩之间的年纪。外表虽然成熟，神情间又难免流露出稚气。

可从为人处世的老练程度而言，又觉得城府有点深，毕竟，听秦浅说，年纪轻轻已是外企中管。给人的总体感觉，是个难以取悦的人。然而，从刚才起就只见他一味对秦浅妥协迁就。秦浅很幸福。

想到这里，夕夜忍不住偷偷瞄了一眼风间。

秦浅突然转过头问：“夕夜呢？”

“什么？”这才回过神。

“夕夜打算什么时候结婚？”

“欸？”女生不太自然地抿了口饮料，眼睛弯在玻璃杯上方，“没有那种打算。”放下杯子后又自嘲地笑笑，“没办法，嫁不出去。”

招致秦浅愈发没分寸的玩笑，以家长的语气对风间说道：

“我们家夕夜就交给你了，要好好照顾她哦。”

夕夜心往下一沉，没有勇气去看风间的表情，装作没听见秦浅的话，急忙扭头找亚弥搭话。

[四]

吃过晚饭后一行人从烤肉店走向K歌房。

夕夜和左侧的秦浅聊天，右侧的风间一直沉默。

等她习惯性地去牵他的手，觉察到对方有些退缩，却并没有十分在意，还继续着和秦浅的话题，直到又走过几步，男生停了下来。

夕夜说笑着转头，看见自己牵着的人不是风间，而是脸上写满窘迫和诧异的季霄。女生愣了数秒，环顾四周，才发现风间落下了一段距离，正在后面毫不介意地笑看着自己，神经随即松了，也跟着笑起来。

这只是一段插曲。却因此顺势和季霄一路同行。

季霄忍了又忍，还是觉得好奇：“亚弥说你今天很反常，不肯跟她们去广福寺许愿。我想起高二时学农，路过寺庙时一群女生都进去拜了拜，只有你例外，也不在乎一个人等在门口，好像异常排斥似的，有什么原因？”

“哪能什么事都有原因，我只是觉得既然不信，何必假装虔诚。”

季霄心里琢磨着夕夜的话，走出一段路，又听见夕夜压低声音在耳侧的问话才回过神。

“你知道风间和夏树为什么会分手么？”

“主要是因为风间的妈妈反对。他们从高中时代开始交往，高考后风间留在上海，而夏树考取广州美院，大一时坚持了一年远距离恋爱，偶尔风间去广州看夏树，寒暑假夏树回上海。因为聚少散多，好不容易团聚就无时无刻不粘在一起。一开始对这份恋情投赞成票的风间妈妈整天不见儿子人影，感受到儿子被抢走的威胁，转而强烈反对。”男生顿了顿，“你应该知道吧，风间出身于单亲家庭。”

夕夜点点头，长吁了一口气：“和母亲相依为命长大，是母亲唯一的精神寄托，反过来，风间也不可能不听取母亲的意见。这种感情羁绊……有同样身世的我深有体会。”

季霄这才想起夕夜同样出身于单亲家庭：“你们确实很容易相互理解。”

“那倒未必。”夕夜扭转头望向沉沉夜幕，霓虹灯闪烁在视野各处宛如幻觉，使她眼睛有些模糊，“关于他自己的事，关于他和夏树的事，风间什么也不愿告诉我。不要说把我介绍给他母亲，就连朋友圈也不想让我接触。我不知道怎样才能理解他、进入他的世界。”

“给他一点时间，也许他还没有做好向谁敞开心扉的准备。”

“交流是双向的，他一直这样，我的坦诚也变得可笑。我无法估计他什么时候才能准备好，因为甚至看不到一丁点‘正在尝试’的迹象，与此同时，只感到我的门就快对他锁上了……很绝望。你说，”夕夜看向季霄的眼睛，“我该怎么办？”

男生咬了咬牙关，一语不发，受宠若惊却不知该如何回应。

掌心中潮湿的汗，在滤过夜风之后变得冰凉。

误牵过她手的掌心。

[五]

有时候说者无心，听者有意。

不经意的一句话，像一粒种子被埋入心岫，谁能想到它在悄无声息地拔节疯长。

[六]

梁静茹的伤感情歌唱过第四首，男生们几乎要开始抗议，才换了蔡依林。

是亚弥抢得了麦克风摇晃在歌房中央。细究歌词涵义——彩绘玻璃前的身影，只有孤单变浓郁——到底还是伤感，可欢快的曲调辅以屏幕上和现实中年轻女孩们明媚的表情，让人一点也觉察不出事关别离。

这样的年纪本该无拘无束什么也不怕失去。

一年中最冷的季节，在室内脱去厚重的大衣，亚弥穿的是一件鹅黄底蔷薇花色连衣裙，温柔轻盈的质地，旋转时蕾丝内衬俏皮地露出一点，就那么自然地往毫无防备的准新郎腿上坐下勾住他的肩，好像阳光落下，男生立刻窘迫得从肩到腰都僵硬起来，开朗爽利的准新娘拍手嘲笑，心无杂念地分享着恶作剧得逞后的喜悦。

季霄在身侧突然笑出来，夕夜转头问怎么了。

“我想起她最好的朋友乔绮对她的评价——胸也无脑也无，不知分寸为何物。”

于是夕夜也跟着笑。没有人会与她计较什么，惹人羡慕。气氛不受半点影响，在这之后，秦浅和谭奚顺势合唱了那首《明天你要嫁给我》。

如果做这种举动的人换成夕夜，结果会截然相反。

到底是为什么，自己缺乏、也无法带给别人那种洒脱不羁的快乐。

整个人像被脱过水，干巴巴，严肃，拘谨，沉重。没有一丝可以挥霍的，轻飘飘的生气。

出神间，思绪突然被骚乱打断，夕夜朝混乱的发源地看去，原来是送热饮的服务生进门时脚下一滑，将手中的托盘整个儿打翻在离门口最近的谭奚身上。

秦浅马上向门外的服务生们喊叫，引来了经理。肇事的女生吓得目瞪口呆，经理一个劲儿地道歉，关切地跟在谭奚身后询问有没有烫伤。

男生没有说什么，只是起身往盥洗室去，临走前指了指女服务生的手："我还好，她倒是烫得比较厉害。"小女生这才发现自己也被饮料烫了。

事故处理的结果是经理主动提出消费免单，并且赔偿200元钱。

谭奚的手只是红肿，涂了点救急的烫伤膏，自己并不以为意，秦浅有点埋怨他太息事宁人："要是被烫的人是我，绝对饶不了她！"

男生半开玩笑地揽过她："要是被烫的人是你，我也绝对饶不了她。行了，得饶人处且饶人，不是没怎么样么。人家也是打工的，不容易。再说也不是故意的，自己烫得比我严重。对她发火又不解决问题。"

"对经理发火倒是能解决问题。"

"对经理发火，经理过后不是还得把账算到她头上么。你看吧，肯定这个月工资被扣了。"

因为败了兴，而且谭奚的衣服也被弄脏，所以就此两两散了，几个人在路口分开。

和风间一起去停车场取车，夕夜转身后感慨：“真是脾气好，换作是我在气头上肯定也会胡乱找人发火，哪能像他这么理智。”

“偏是秦浅那种不依不饶的，遇上了这种不瘟不火的，果然互补型才是天造地设。”风间跟上她，把自己的外套罩在她肩上，揽着她走。

女生从侧下方缓慢地抬起眼睑看住他线条硬朗的下颌，待男生觉出视线的温度回看过来，淡然一笑：“互补型才是天造地设，那相似型呢？”

男生愣了两三秒，随后表情不太自然地收回放在她肩上的手，往前快走了几步。

夕夜笑着追过去：“怎么了？”

没怎么，只是说到“相似”，你的眼中已经没有其他相似性。

在你对我讲述的曾经，夏树把课本搁上桌面，再俯低一些，看见透明的塑料包装袋，抽出来，装着的是一套冬季制服。

脑子顿了一秒。

突然觉察到自己身上罩着淡淡的人影，猛地抬头，又看见你正弓着肩手撑桌面站在自己身边。夏树慌得往后缩，重心不稳，椅子三只脚都悬空了。

那张脸上曾经有过的表情，在四年后的深夜，我的脸上真切地重现。突然觉察与自己牵手的人不是男友，猛地回头……

面对出人意料的距离，无法淡定自持，却又努力佯装淡定自持。倏忽闪过面颊的羞赧慌张，在须臾后就被抚慰平息。转瞬即逝的不知所措，你尽收眼底，甚至忍不住在事后回忆时微笑起来。

都是心地如此透明却如此复杂的女孩，敏感脆弱又坚定沉静，何其相似。

我和夏树在常人眼里凌厉张扬，为什么唯独你看穿我们外壳那么坚硬，而本质是那么小，那么傻，想要好好守护？

是怎么了？

风间把夕夜的左手团在自己右手中，步履慢下来："你知道么，刚才在K歌房，秦浅把你托付给我了，让我好好照顾你。"

"她就是爱开玩……"夕夜急忙解释，突然感到手上的手力加重一点，困惑地打住话头。

"我说'好'。"

"是么？"声音有点哽咽。

"嗯。"

"可是……"女生盯着地面。男生诧异地看向她的侧脸。

过半晌，她抬起头，耸耸肩轻松地笑笑："没什么，谢谢。"

[七]

再一次——

"那季霄你说，该怎么办？"

在季霄一直以来的记忆里，夕夜被"坚韧"、"独立"这类词贴了标记，拥有在任何情况下独挡一面的魄力和决心。却一直没有发现，她总是毫无戒备地依赖自己。

无论是当年遇上复杂的论题，还是如今困扰于和风间的芥蒂，无论是赌气的语调，还是求助的讯息，最后总是这么一句：“那你说该怎么办？”

想来很难不让人苦笑。

“在想什么？”亚弥摇着季霄的手臂问。

男生长叹道：“没什么。”

——风间什么也不愿告诉我。不要说把我介绍给他母亲，就连朋友圈也不想让我接触。我不知道怎样才能理解他、进入他的世界。

——交流是双向的，他一直这样，我的坦诚也变得可笑。我无法估计他什么时候才能准备好，因为甚至看不到一丁点‘正在尝试’的迹象，与此同时，只感到我的门就快对他锁上了。

季霄突然想起，自己对待亚弥的方式也和风间没有什么区别，虽然原因又大有不同。

亚弥年纪小，神经粗，大大咧咧，远不像夕夜那么敏感，大概，不会因此感到绝望。她不会在意这些。从另一方面而言，说不定要她融入自己的朋友圈，带她去见父母，反而会给她压力让她难受。

男生又看她一眼，女生对方才的出神果然既往不咎，转而展开别的话题。

松了口气，幸好她不会在意。

[八]

时隔数日，一天深夜，秦浅打来电话，语气听起来心烦意乱，开口第一句就非同小可："我不想和谭奚结婚了。"

夕夜罩上外套起身，蹑手蹑脚到寝室外接听："发生了什么事？"

"什么事也没发生。我只是发现自己也许没那么爱他。"

"哈啊？都这种时候了，说什么傻话？"夕夜顿了顿，把手机换到另一侧，"这段时间筹备婚礼你太忙太累，人在极端疲惫的状态下逃避退缩很正常，但你不要真的付诸实行啊。谭奚是个好人，我看得出来，他那么珍惜你……"

"他是个好人，这没错，但如果他真那么珍惜我，为什么筹备婚礼这么多事让我一个人来承担？他有工作，难道我就没有学业了吗？我可以放弃，为什么他就不可以牺牲？"

"都快结婚了还在斤斤计较这些，你也太孩子气了吧。"

"还没结婚就已经变成这样了，以后怎么过一生？"

夕夜被反问得哑然，思维和口才都派不上用场。"但是……"

"确实，这段时间非常忙非常累。所以我一直在问自己这种忙这种累到底值不值得。如果我真的非常爱他，那么为了他受一点累有什么好抱怨呢？和深爱的人结婚不应该是一件特别幸福的事吗？我不该斤斤计较的……所以我才想自己没有多爱他，是这件事让我看清了自己，他没有错。"

过于震惊，夕夜半晌说不出一句话。

"总之，夕夜，谢谢你答应做我的伴娘，我觉得有点对不住你……"

"不用在意我，你和谭奚谈过了吗？"

"还没有，我不知道怎么跟他谈……"

"……虽然我很想给你一些有效建议，但实际上如果是我自己碰上这种事也会不知所措。"夕夜略作犹豫，"我从来没有辜负过别人。”

“……不会吧，我才不信，你前男友的数量应该和我差不多。”

“但每次被甩的人都是我……是真的，别看我整天虚张声势，其实我就是个樱木花道欸！”说着自己也笑了起来，“所以还真的不太能理解你们这些好运气的家伙，放着那么爱自己的人不爱，不知道究竟想追求些什么。”

“我可能还没到为了谁停下脚步的阶段吧。”秦浅说，“那么爱我的人，对我来说也许是个负担。”

“你已经下定决心了吗？”

“当然。”

“挺可惜的。”女生的语气低落下去，“我和风间都觉得你们特别登对。”

这次夜聊之后，大约二十多天再没有秦浅的消息，夕夜猜测她只不过一时意难平，和谭奚闹闹别扭，或许转天就又重归于好。再加上期末考试阶段学业为重，分不出闲心去多管闲事，于是既没有主动关心也没与其他人说起。

[九]

最后一门必修课闭卷考试结束的那天，整幢教学楼漂浮着浮躁的喧闹，每个人说话的音量和语速都至少是平时的1.5倍。夕夜交了卷，从讲台边的地上翻出自己的书包，拨开两个女生，加快脚步低头穿过女厕所门前排起的长队。

下到二楼时，另一个刚刚散场的考场里的学生涌出来，很自然地汇入人群，然后听见几步之遥的身后，响起叫自己名字的声音。

逆着光的原因，隐在阴影中的表情不太像刚考完试的样子。

夕夜靠在右侧的楼梯扶手上，等季霄顺着人流下来。

“全部考完了？”

“还有两门专业课下周交论文。”女生从抱在怀里的书包中掏出一罐咖啡递出去。

男生摆摆手示意不要，但是在夕夜准备拉开易拉罐的瞬间又从她手里抢走：“既然都考完了就不要老喝咖啡，对身体不好。”

夕夜跳着连下四五级台阶，在前面笑：“我总觉得男生一旦展现出温柔体贴的一面，就变得有点婆婆妈妈。尤其是你，长得本来就太清秀。相比起来，我更喜欢辩论中的你，非常干脆，非常决绝，不轻易受人左右。”

“……果然是冰山。”男生佯装委屈把咖啡还给她，“连善意的关心都拒之门外，你这种女生少见，真不知易风间通常都怎么处理你这座大冰山。”

“真不知亚弥怎么忍受这种比自己秀美几百倍的男友。啊——她知不知道当年你被我们评为班花的事？”

“如果知道肯定是你长舌。”

两人笑过，又沉默了数秒，夕夜正色道：“你有话要对我说，是么？”

“什么都瞒不过你。找个安静的地方坐下说。”

“到五角场那家茶座吧，顺便我也想去百联的三楼买套睡衣。”待季霄点头同意后，夕夜轻声问，“很重要的事？”

“为什么这么说？”

“郑重到要特地找个安静地方说的地步了。”

“你……是我熟悉的那个顾夕夜，”男生微笑起来，“心急又不直率，总是采取旁敲侧击的迂回战术。如果是亚弥，她会直接粘上来撒娇，然后缠着我一路追问到底什么事。”

“如果换我那么做，你一定会毛骨悚然。”

“唔，一定的。”季霄走下自动扶梯的最后一级，停住脚步，朝不远处的茶座看一会儿，“夕夜……”

“就是那家。”

但男生的犹豫其实根本无关于谈话地点：“……新凉回国了。”

[十]

放射状的红光在夜空中逐渐萎缩，之后全世界遁入黑暗。如果太阳此刻熄灭光芒，地球上的人要八分钟后才知道，但我不知为什么，竟然连这八分钟的温暖都体会不到，更不要说能看见天的边界重新泛起微光。那悬挂在苍穹之上的是什么？为什么独为她们闪烁？

她们为什么能笑得那样无忧无虑，唱得那样纵情肆意？

为什么能说着“我无法为谁停留”毫无恋意地告别过去，而只在别人的眼睛里种下忧郁？

是什么。为什么。该去做什么。

许多年来，这些问题像浑浊的胶液包裹我，搅动时让人难以呼吸。

被周围人认定为“美女”，从初中开始。第一次对夕夜公开表达赞美的是班主任，那时她刚从师范大学毕业，零星留存着身为学生的稚真，体现在写字与批改作业分不同颜色的圆珠笔这类细节上。

在某次家长会后，她对颜泽的妈妈说："其实如果走在街上，大部分人都会以为顾夕夜才是你的亲生女儿，长得跟你有点像哦，我们班的女孩子数她最漂亮。"

颜泽妈妈回答："要说长相啊，肯定比不上萧卓安。夕夜这孩子关键还是聪明乖巧，让人省心。不像我们家颜泽，心思太杂，玩心太重，脾气还倔得很。"

之后班主任老师大概又说了些"颜泽也有颜泽的优点"之类的话，夕夜已经不记得。但那番比较式的议论却印刻在大脑皮层上，无法轻易抹去，从此死死地认定自己比不上萧卓安。

卓安是肤色白皙，留黑直长发的大家闺秀。在校时一直梳高马尾或芭蕾发髻，没有刘海，露出光洁饱满的额头。家教传统，举止得体，清纯的气质深受长辈们喜爱。

与此截然不同的是一头棕色碎散卷发，混血气质的夕夜，骨子里透着不羁和忧郁。其实这才是同辈人中公认的校花。只是她自己一点也不知道。

一直认为自己不如卓安漂亮。

因为自卑，又无法如她那样乐观无忧，在自己与他人之间植起藩篱。

当贺新凉最初以卓安男友的身份出现时，那份卑微的少女情结已注定无法得以成全。

给这段无终的暗恋加一个时间限定，是"很久以前"。

然而跨越到"很久以后"的现在，一丁点线索——比如听见某个人的名字，比如看见相似的街景——也能变成刺穿心脏的锋利武器。

明明好好收拾起感情，决心做一个吝啬冷漠的人。

因为付出得少，在被背叛被遗弃的时候短暂地伤心一两天，然后又能重振元气。以为已经练就了这样的本领，遗忘一切不愉快。

只有在他重新出现时，你才明白时间不是对谁都万能的良药。

对他的喜爱原来比想象深厚久远，故作洒脱是耿耿于怀的一种表现。又或者不再耿耿于怀，而是妥协于习惯。

习惯了面对他的时候，感觉全世界被按下静音，唯有自己的心跳声欲盖弥彰。

而你所能做的，不过是生硬、刻意地从他身上扯开视线，用缄默去对抗所有失落的幻想。

[十一]

绯红色的云在空中展成羽翼形状。

这就是陆地上所能看见的，最美的落日景象。

看不见的，云层之上其实是另一番辉煌。

季霄用烛火外焰点燃香，递给夕夜，看她俯身拜了三次，又接过香帮她插进香炉，小心不让滚烫的灰烬落在她手上。接着她退回蒲团折膝跪下，把双手平摊在两肩的阴影里，低头，再俯下身。

整个过程对跪在右侧、与她所有动作保持一致的新凉连一眼也没看。

哪怕说最后一句“节哀”，眼睛也紧紧地盯着地面。

看似冷冰冰地漠不关心。

又怎么会，在最后一次从蒲团上抬起头来时，令人瞠目结舌地，泪如雨下。

季霄的手滞在从香炉上方移开的瞬间，而下一秒，他很难不注意到新凉微红的眼睑，三个人之间维持着阒静，灵堂略略泛黄的天花板把沉香的气味从头顶上空压下来。

因为你看不见……

三天前。

“他妈妈自杀了。回来奔丧。”

女生面颊瞬间失掉血色，并不是出于对普通朋友的牵挂。

而此刻，无声落在蒲团边缘的泪水，也并不能单纯用“同病相怜”去解释。

你看不见，阒静的表面下涌过怎样的巨澜。

在随后其他亲朋祭拜灵堂的活动间隙中，新凉特地在人群中找到夕夜和季霄：“谢谢……”词穷并没有引致尴尬冷场。季霄揽过他，什么也没说，只是以挚友的方式拍了拍他的肩。

夕夜眼眶又潮湿起来，但是她第一次直接地看向新凉的眼睛，微蹙眉抽了抽鼻子，同时拥抱了他们俩。

相识近七年，他终于不再是高不可攀的王子，夕夜知道，一句“谢谢”中有半句是给自己的。

足够了。

但是，为之付出的代价太过沉重。

[十二]

“想起自己妈妈了？”一同走去车站的路上，季霄猜测夕夜祭拜时情绪失控的缘由。

女生点点头，视线挑高一些。橘黄色的路灯铺满街道，一只大白猫以倨傲的姿态悠闲地穿过斑马线，停在打烊的小卖部门口前，爪子伸进纸箱去拨弄里面的垃圾。已是深冬季节，但即使晚上也不觉得冷，四下无风。

“医院下了病危通知书后，我不知道怎么做才能留住她。除了照顾她，每天还步行去附近的一座寺庙为她祈祷，跪在蒲团上磕头，许下让我少活十年换她十年的愿，求来护身念珠戴在身上……我就是想让她活到看见我获得幸福的那一天。你知道么……”哽咽得难以为继，“我从小到大没见过她笑一次。

“但就是这么微渺的心愿，那些神明都只是袖手旁观，如果他们真的存在，那么是为谁、为什么而存在？

“盖棺之前，我从手上褪下了念珠放在她耳朵边，唯一的心愿也随她进了火化炉。从那以后，再也没有任何信仰，也不相信任何幸运会降临在我身上。”

男生拎过她的手提包，往前赶了两步：“新凉说等他家的事处理完了，我们聚一下。”

“‘我们’是指？”

“你、我、新凉、颜泽——我们。”

夕夜惊讶地看住他：“你觉得我和颜泽见面合适吗？”

“那你觉得我和颜泽、新凉哪个见面合适？”季霄有点开玩笑的神色。

夕夜迟疑了一会儿，找不出反驳辞。

“你比我大度，我是女生，斤斤计较是天性使然。”

“我挺怀念那时候……”男生突兀地冒出这么一句。

女生停住脚步，微侧过头，诧异地等待下文。

“高一时的合唱比赛，弹钢琴配乐的是你，担任指挥的是颜泽，我们班得了第一名。不管后来产生过什么矛盾，你们俩也曾有‘最佳默契’的记录。”季霄说着低头笑了笑，“我本不该说这些。”

夕夜回过神：“为什么？”

“闺蜜之间的矛盾，本该你们自己解决。任何第三者抱着任何好意来插手都不会有善终，最后的结果总是闺蜜和好如初，第三者反倒成了公敌。”

女生听出他语气中的委屈，弯着眼无声地微笑：“亚弥和乔绮让你吃过教训？”

“无数次。”

“但前提是，她们是闺蜜。”

“你和颜泽也是。”

“……那你觉得我和颜泽还有可能和好如初么？”

季霄认真地点点头。

“好吧。”

“好吧？”男生有些意外地松下一口气，“我还以为说服你还得费好一番口舌，几乎把所有辩论技巧都准备好了。”

“你了解我，比我自己更了解。所以就按你的建议办。”

夕夜说完，走出一段路，才觉察男生没及时跟上来，回头问：“怎么了？”

季霄轻轻答道：“没想到我的建议对你这么重要。”

这段路上堵了车，喇叭此起彼伏响得聒噪，摩天大楼上的巨幅液晶广告屏色彩变幻，整个步行街人声喧嚣炫彩斑斓，使人的感官无不受到巨大刺激，却反而愈发把夕夜与季霄的黑衣衬得肃穆异常。

女生把双手柔柔地团在外套口袋里，手心的温度经过触点传递到指尖，视线别向远处街景："从前我一直真心希望你和颜泽天长地久，不是为了颜泽，只是自私地害怕失去你这唯一的朋友。只要你和颜泽没有分手，就不会脱离我的生活圈。偶尔想有个聊天的人，偶尔想有个谈心的人……是的，我觉得季霄你，对没有任何信仰的我而言，很重要，不可或缺。"

第五话

【The Weather With You】

呆滞地听别的学生说去向，心里却揣测着大家的居心，越来越焦虑急躁，绝望在身体里滚来滚去，碾疼了每一根神经。

想见的人根本不存在。

回想起来，那些把葬礼当派对、极尽盛装之能势粉墨登场的女生，你也并不喜欢。

从高中时就习惯形成人际小圈子，使用外人为之困惑的特色口头禅，时不时去娱乐场所聚个餐，将某些个体排除在外。以为长大后格局都将改变，曾经的疏离可以变得亲密，实际却不尽然。

依旧是从前那群虚荣浮夸的女生。

依旧是从前那些表面亲密内里攀比的圈子。

而你所属于的那个小集体——你、季霄、贺新凉、颜泽、萧卓安——曾是这个班级最引人瞩目的才子才女核心圈，却也早在当年就分崩离析。

[二]

看过这样的统计——大部分中学时代表现出众的优等生，步入社会后碌碌无为；而曾经成绩中等的普通学生，反而往往成就惊人。

坚持与奋斗化为乌有时，你不知道地球究竟以什么规则旋转。

[三]

开学后所在的学院拉开了保送研究生资格考评的序幕。夕夜的形势不容乐观。

[一]

过了春节，季霄跟着风间去学校宿舍找夕夜，告诉她原定的小范围聚会变成了班级性质的同学聚会。并不意外。高中时新凉就是人见人爱花见花开的阳光美少年，追悼会那天，不仅三分之二同班同学到场了，连曾经同级外班的、学弟学妹们也来了不少。

夕夜倚着床架叹口气说：“那我就不去了。”

季霄没露出太惊奇的表情。

“同学会吗？”风间插嘴问。

“上次和大家见一面，勾起了我很多回忆。我开始觉得时过境迁，我能和她们好好相处了，我抱着想了解她们的心去看她们的博客，一个链接一个链接看过去。有人提到新凉到你，提到颜泽，但是没有一个人提到我，没有人期待见有人在那儿注意到我，”女生朝季霄扯扯嘴角，露出苦情，“对大家来说，我是隐形的。”

“那就不要在乎这些龙套的眼光，去见你想见的人。

文科学院的许多课程并不以知识掌握程度衡量学业优劣，一些学生可能翘了三分之二的课，但仅凭这三分之一的出席率，课上踊跃发言，课下勤提问，混个眼熟，给老师留下好学生的印象，期末反而能投机取巧拿高分。

相较而言，夕夜这类专注学术的交际白痴，实在太难取得好成绩。

打印出来的成绩单，90分以上的全是闭卷考试，70分左右的全是开卷考试。

夕夜不禁苦笑。

笑过之后，内心是如同潮涨的沉重。

刚上大学时心高气傲，拒绝了颜泽家的经济支持，整整四年凭着不多的奖学金和助学金踉跄地自力更生，过得窘困拮据，没有任何积蓄。

如果无法取得全额奖学金保送研究生，就只剩结束学业去找工作一条路可走，但无论是本科学历还是交际能力，都让夕夜在这条路前望而却步。

六年前中考，区文科状元。

三年前高考，市文科状元。

一直只在读书的领域出类拔萃，除此之外自知一无是处。从未想过有一天可能被剥夺读书的权利。

公示的保研名单有12人，夕夜按绩点排在第七名，学院预招的研究生是8人。

预感不佳，心绪不宁。

“绩点排在我后面的四个人中还有副校长的女儿，大家都知道有个名额是留给她的。如果再有人找找关系，我就肯定被踢了。”

关于这个话题，夕夜反常地絮絮叨叨，风间有点不耐烦，以他的立场确实体会不到女友在焦虑什么。

优秀的男生较女生少得多，在师长眼里，风间一直以在男生身上极其罕见的沉稳懂事备受关照，仅以担任学生干部这点为例，若要加一个时间维度，也夸张地贯穿了整个学生生涯——从小到大。而在同龄人中间，居然又奇异地备受欢迎，归根结底和长相帅气却行事低调有关。

总之，面对夕夜的忧心忡忡，男生困惑的表情在脸上停留了两秒，之后没心没肺地把疑惑直接提出来："干吗这么计较得失？"语气间隐藏着"我原先还以为你是个淡泊的人"的失望。

女生被突兀地截住话头，无限委屈地迎过他的视线，然后在男生满脸的理所应当面前变得更委屈一点。

但绝不会争执。

绝对绝对，不会为了这种"小事"去和风间争执。

虽然心里的某个地方，还压抑着类似"季霄就一定会理解我"的不平静。

如果不小心把两人比较，立刻就分出了高下。

回到六年前，与天分极高的贺新凉不同，季霄是以勤奋苦读为特色的优等生，成绩有时也起伏不定，所取得的成绩，在他人眼里，羡慕之余只有钦佩。夕夜觉得自己与他是同一种人。

[四]

夕夜从学院的主页下载了全套申请保研名额的表格，有些问题不知该怎么填，想着应该去问问秦浅，打她的手机却一直无人接听，这才想起她与谭奚准备分手的事，揣测无论有没有如愿此时心情都未必见晴，于是放弃了叨扰。

第二天晚上对方看见未接来电主动回过来，声音听起来分外嘶哑低沉："夕夜，不好意思，最近作息有点乱。"

就算失恋也不可能连续睡三十个小时吧。夕夜小心翼翼地问："你和谭奚怎么样了？"

秦浅笑起来，流露出轻松的语气："闹了很长时间，谭奚说什么也不同意分开，一开始我挺生气的，但久而久之，反而习惯了有他的生活。静下心想想，其实我并不讨厌他，只是讨厌束缚，对唯一的关系感到恐惧。"

虽然不太能体会这种奇怪的纠缠方式，但夕夜松了口气："所以说现在已经不想分手咯？"

"现在还不知道该怎么办，暂时把婚期推迟了。谭奚对家人的交代是得先忙一项重要工作。我想过一段时间可能我们能找到答案。"女生的语速慢下去，仿佛在遐想未来，过了几秒回过神，"对了，你找我有什么事？"

"噢……我在申请保研，填表时遇到点麻烦。想问问你。"

"取得保研资格了吗？"

"有资格。现在方便说话吗？可能时间会有点长。"

"没关系。"

"先说这个表格封面上的定向和非定向是什么意思？"

[五]

在秦浅的帮助下填完了申请表格，夕夜安下半颗心，觉得有点饿，拿着钱包下楼去买夜宵。

淡淡的月光洒在小径上教学楼阴影的间隙里，路旁近百年的树木静默地站成带给人强烈安全感的护卫姿态，晚风拂着面，非常和煦。

人走在其中，四下只能听见自己的鞋跟敲击地面的声音。

呼吸带着清新凉意的空气，胸腔里蕴含了无法言传的宁静的感激。

突然有种什么也不成障碍、什么都可以体谅的感觉。

她从外套口袋中掏出手机，拨通风间的电话，等待音响了四声，男生接起来，应声刻意压得很低。

“在上课吗？”夕夜问。

“嗯，我下课后回给你。”

“好。”

想和风间长久地好好相处下去的愿望，比任何时候都强烈。大概是受了秦浅的影响。

经过一栋宿舍楼，临街的窗口飘出不知名却异常熟悉的园舞曲，夕夜双手插在风衣口袋里驻足，一边聆听，一边搜肠刮肚地回忆曾经在哪儿听过。

暖黄的窗前时而晃过人影，都是稍纵即逝，无法凭此辨别音乐声是来自哪扇窗。

旋律和夜色相融合的感觉，明明那么真切地存在过，却像深冬时节封印于冰面下的河水，看得见流动，却触摸不到。

找不到合适的词语去形容，直到一曲终了。

夕夜转过身。

一只白色的流浪猫坐在路面中间看着她，看见她转了身，便站起来，迈着倨傲的步子缓缓地离开。

虽然是极缓的动作，但在静止的画面中横穿而过仍有点突兀，因为这份突兀，原本不具有感情属性的离开，显得凄凉。看起来十分孤独。

是了，就是孤独。而刚才悄悄溜掉的那首曲子，给人的感觉正是驱散了孤独。

圆舞曲多半都是欢愉的，这一首又有什么特别?

[六]

翌日下午三点，夕夜去学校教务处盖章，工作人员不知去哪儿了，门上贴着“请稍等，马上回来”的便条。夕夜只好抱着一摞表格倚墙等在门口，先后有好些学生进了楼，个别人留下一起等待，其他几个留下手机号请夕夜等老师回来后发短信通知他们。

将近五点时，走廊处传来女孩子的笑声，一阵轻一阵响，好像阳光下金色的麦田在起伏。

来自四面八方的回声撞击着身后的墙壁，腰椎处幻觉似的酥麻起来，夕夜轻轻按过太阳穴，直起身朝声音的源头望，是亚弥。

小女生阖上手机，迎着这边几道目光吐舌头表示歉意，立刻又忍不住拔高了音调：“咦？夕夜？你怎么在这里？”

“有些表格需要盖章，你呢？”

“学生证丢了，开学没有注册，系里老师非让我来补办。”像是觉得很麻烦。

丢三落四还真是她的风格。

“教务处的人跑哪儿去啦？”亚弥从口袋里摸出口香糖，扔了一条给夕夜。

女生接住：“谁知道啊，都等快两小时了。不过，我都习惯了，这几天忙着找各种部门盖章，全是这么拖拖拉拉的。昨天去找学院领导签字，从早上九点等到下午四点，对方一直回短信说一小时后到，结果最后回了一条‘今天不去学校了’就关了机。”

“这么差劲的老师！”

“可也没办法，听说明天在四教有堂课，还得去课上堵他，趁课间时让他签了。”

“为了什么事折腾这些啊？”

“保研啊。”

“那是什么？”

“欸？保送研究生嘛。”

“还可以保送研究生吗？”惊讶的神情让夕夜有点失语，“什么样的人才够格呢？”

“平均绩点在学院名列前茅。话说回来，你也不是大一新生了，怎么连这些最基本的都不知道啊？”

亚弥弯眼笑了，瞳孔闪闪亮亮：“没有关心过嘛……反正以我的成绩也不可能有资格保送啦，我对自己的要求一直是不挂科就好。”

“那你毕业后打算直接工作还是出国？”

“那种事我根本没有考虑过，反正季霄比我早毕业，他干什么我就干什么。从小到大我的理想就只有一个——和季霄在一起。其他都无所谓。”

用瞠目结舌来形容夕夜此时的表情都不够。

“虽说……爱情是很重要，不过，也不至于完全没有自己的生活吧。”

亚弥甜甜地一笑，歪过头：“如果你保送研究生后，风间万一找到外地的工作或者决定出国，到那时再反悔补救不是很麻烦吗？还不如晚点做决定。不过，照你和风间的情况来看，应该是他会配合你吧。”

夕夜微怔，不知该如何对答。

此时才发现，在考虑未来时，其实我从未把风间计算在内。

或者说，潜意识中并不相信我和风间能天长地久。

焦虑也好，抑郁也好。

都是一个人的焦虑，一个人的抑郁。

反而非常羡慕亚弥这样思维单纯的女生，有一个人可以让她付出全部。

回想起来，我的生活中没有出现过这样的人，无论是在年少时误以为“一生最爱”的贺新凉，还是白马王子般破光而来的易风间，没有谁能使我把命运交给他，规划到永远。

或许对风间而言也是如此，所以他才对我的前途漠不关心，只求眼下的快乐幸福。

“如果竞争太激烈就放弃吧，干吗这么计较得失？”

“就算最后得到了你也不会开心，这样有意思么？”

“我才不管别人，我只希望你快乐地生活。”

乍听之下甜蜜又体贴的话语，实际上全在透露一个讯息——

和我在一起的时候，希望你整天乐观开朗和我玩闹，至于玩物丧志将来可能会悲伤沮丧那与我无关，反正又不可能永远在一起。

再深的羁绊，加上了“得过且过”的前提，也不能谓之爱情。

从教务楼走廊的窗口望出去，远处四五棵桃树站成一排，新开的桃花宛如撕裂皮肤暴出的血液，艳俗的颜色和腥臭的气味在略有些萧瑟的环境中肆意蔓延。

落日虚悬在树杈之间，余晖像绢带一样缠绕在上面作依依不舍之态。

“亚弥你知道么？”夕夜回头，不无凄凉意味地微笑着说，“其实太阳此刻已经熄灭了光芒。”

[七]

之后的好几天不是蹲守在教务楼就是蹲守在教室门口，被随心所欲约定时间又随心所欲违背约定的老师们折腾得心力交瘁。最后一次请院长签字，不走运的是领导又不在，且联系不上，夕夜急得在办公区团团转，出门接水泡茶的辅导员看见她招呼道：“顾夕夜你在等谁？”

女生苦着脸无奈地抖抖手中的表格：“保研申请表最后还要院领导签字。”

“刘院长前天去日本了。”

“这我知道，我在通选课上等过他，结果助教说他出国了本周停课。所以我想找系主任签。”

“系主任也在外地，再说系主任不能签，你仔细看看填表要求，写的是‘学院意见’，学系是不够级别的。”

“那……怎么办？”

“找李书记签啊，她开会去了，下午才会来，你先去吃午饭吧。等她来了我给你发短信。”

遭了长时间的冷遇，一丁点关怀也让夕夜觉得受宠若惊，愣了数秒，几乎要红了眼角，结结巴巴地谢了半天。

又严肃又客套，让辅导员忍俊不禁，为了让她放松绷紧的神经，半开玩笑地说：“说实话，我们都在想，你长这么漂亮读什么研究生啊！”

“欸？”之前没听说，这有什么冲突。

“读太多书很难嫁的，长得漂亮本来就标准很高了，这么一来容易变成剩女啊。我当辅导员这几年就没见过哪个漂亮女生认真钻研学术，但也绝对没有批评她们的意思，毕竟人才是多方面的嘛，有些孩子适合做研究，有些口才好人际交往广泛也能有一番作为。”

说起“口才好人际交往广泛”，不可避免地想起了颜泽。

从前觉得自己比她漂亮比她聪明比她努力，而她只拥有最令人羡慕的幸运，心里总是愤愤不平。其实颜泽认真地经营各种人际关系，也是一种努力，处心积虑地讨所有人喜欢，在意每个人看待自己的目光，即使讨厌一个人也要压抑内心的反感去对她微笑。可以说是伪善，但世界若少了这些伪善恐怕会更加伤人。

颜泽待人公平而慷慨，她的能力在于，让身边每个人觉得自己被喜欢、被需要，即使是一种假象。

时隔多年再回想起来，似乎已经释怀了。

夕夜微笑着点点头，对辅导员说：“你说得对。我缺乏与人交往的那种才能。”

[八]

有点想念颜泽，暑假就心想事成地遇见了她。巧的是两人被分在同一家电视台实习，不巧的是实习期正好错开。夕夜最后一天实习，颜泽过来报到。

在办公室走廊的转弯处相遇，简单地打了个招呼便擦肩而过，夕夜走远后正稍微觉得有点怅然若失，颜泽就一路连名带姓地喊着她追过来。

“难得见一面，平时也不怎么联系得上你，不如下班后一块儿吃晚饭吧。该不会你另有安排？”

夕夜摆过手：“没有没有。你在财经频道？”

“嗯。”

“那我待会儿过去找你，顺便带你去办通行证，那地方蛮难找的，我第一天都绕晕了。”

“太好了！夕夜你……”欲欢呼雀跃，却突然打住，恢复成生疏的致谢辞，“谢谢你，那我等你。”

夕夜转身之后才回想起颜泽原本快脱口而出的是什么。

晚饭吃的是法国菜，夕夜不太进出这种高档餐厅，点菜的事全权交给颜泽。

女生利落地点单，给夕夜要一模一样的菜式，然后打发走了侍者。不痛不痒地相互问着近况，有点像太极里的推手，直到提起贺新凉。

“听季霄说，你和新凉在交往？”

“是。前阵子他因为母亲过世回来，我们就在一起了。”

夕夜清了清干涩的嗓子，却还是接不上话头。沉默持续良久。

颜泽的鼻子里嘲笑般地哼了一声，尽管轻，却像投进湖水的石子，引一片涟漪微妙地扩散。

夕夜眨眨眼睛，不明白她什么意思。这种无辜的眼神仿佛激怒了颜泽。

“让你失望了吧？你想和新凉交往，你爱新凉。我没猜错吧？”这次是肆无忌惮地展露了笑容，“他跟我说了你在告别式上大哭的事，他说他有点莫名其妙。你知道我怎么想么？你的手段太烂俗了，想用‘同病相怜’这招引起他的注意。顾夕夜，你弄错了，你和新凉根本不是同病相怜。你妈妈是个遭了报应早早病死的小三，你是个曾经勾引养父的私生女。新凉他妈妈不是病死，而恰恰是因为他爸出轨才自杀的。你以为新凉还有百分之零点一的可能性爱上你么？”

夕夜发不出声音，肩膀也没有颤抖，却在静静地流泪，任由对方滔滔不绝地口出利刃。可是泪水本身不平静，滴滴灼人，止也止不住。

她拎起包，一句话没有回嘴，径直离开。

已经没什么可说的了。

话到这份上，颜泽是想夕夜跟她吵起来、闹翻脸、决裂了才好，满肚子措词落了空，变成满肚子莫名其妙的委屈懊恼，转脸去看夕夜的背影，腰杆还那么挺，步履也不见乱，廉价衣服流露的穷酸被门口的灯光朦胧掉了，反倒是餐厅里原有的奢华瞬间被衬得很萧条。

夕夜在门口停顿一秒，往回望一眼，不知道先前颜泽在看她此刻已经把头转开，只见她颇为孤单地端坐着，侍者把她的餐盘放在她面前，把夕夜的餐盘放在她对面。这局面大概让她终于有点想起自己的尴尬，她略显多余地朝侍者笑了笑，然后拿起刀叉专心处理食物，故作没心没肺的神态，可身影怎么看都是很受伤的姿态。

——颜泽，你真不记得我是谁了么？

——大家都说你曾经是我最好的朋友。呐，夕夜，我们好在哪里？

我们好在，你为了防止父母偷看把日记藏在我柜子里，而我有很多不能说的秘密只告诉过你。快乐、悲伤、烦恼、委屈、激动、沮丧……全都一同分享。

我们好在，伤害对方之后会责备自己很久很久，我了解你是善良的、矛盾的、反复无常的，就像你了解我一样。彼此深知什么是对方的杀手锏和致命伤。

我们好在，我们的关系时而骇人时而动人，我们的故事被所有人误读曲解——

五年前，你掉下窗台不是我的错，但你和新凉分开却是我的错。为了从不把任何人放进未来规划也不被任何人放进未来规划的我，你做了那个选择。

两个人最激烈的那次争吵中，夕夜对颜泽拔高了音调："颜泽你自己心里最清楚，新凉在你眼里只不过是季霄的替代品，而在我眼里是不可替代的人。你家境好、父母健在、朋友多、人缘好，你什么都有了，却连那么一丁点对你来说无关紧要的幸福都不肯放手，不愿让给我！"言情腔浓得一如既往，吼完还扇了她一巴掌，自己发了一身猛汗，气出得很尽兴，根本没奢求她能听进去照做。

颜泽还是有点脑的，没有把新凉当做个物件让来让去，但她放手了。

刚上高二时学校有AFS海外交流计划，新凉报了名，出国学习一年。

颜泽父亲是外交官，英语是她唯一稳定在班级前十名的科目，没什么理由不报名。当时只是无理取闹说因为西餐不好吃所以不想去，在家被她妈骂了两天。

其实是因为夕夜。

家里不可能替夕夜出这笔交流费用，虽然平日总是用夕夜的优秀来激励颜泽，但父母追根究底不会希望这个外来的假女儿比亲生女儿更优秀。如果颜泽出了国，夕夜留在国内，变数就太多了，失去了主要的激励作用，会不会被送去别的领养家庭都未可知。

两人对外统一口径："颜泽妈妈不让颜泽出国，夕夜不太想出去。"而真相，正好相反。但夕夜在和颜泽的对话中没出现过感激。夕夜会接受这样的共谋是因为觉得新凉对颜泽来说没那么重要，所以她也就没觉得自己对颜泽而言是多么重要。

时间倒流回高一那年的圣诞节，夕夜深吸一口气，清秀的下颌配合着嘴角挑起的模样改变了形状，画出一个温暖的微笑，看向颜泽的眼睛："我喜欢新凉。"

"欸……啊……啊？"颜泽半张着嘴瞬间石化。

夕阳下的平安夜，霓虹灯光逐渐在身边顺次亮起，越来越扩散开的光明却也没有改变冬日的寒冷本质。大风在人群中穿梭。

一阵风过，颜泽手中的棉花糖整团被吹得脱离了竹签，不偏不倚地罩在了她的脸上。

"唔——"

石化掉的女生这才回过神，慌张地处理自己黏腻的遭遇。夕夜放下塑料袋跟上两步过来帮忙，一边狂笑一边数落着："你脑神经落在家里了吧？"

棉花糖的香甜气息如此浓厚，一直持续到回了寝室冲了澡换了衣，依旧挥散不去。

为什么那样显而易见的讯号当时没发现？

[九]

保研面试那天，很多人抽到难题都去换，夕夜两手一直捏着试题纸攥在A字裙后面，倚在走廊里往门口慢慢挪，拉不下面子去和抽题人套近乎。

抽题人当然也顾不上关心她有多少情绪和意图，他只享受自己做好人的态度，他和面试者其实都是心照不宣的，抽到怎样的题无所谓，回答成怎样也无所谓，这面试是假的，真正的面试三年前就已开始。

这三年里你得讨得领导们和导师们的欢心，阿谀奉承，或者踏实肯干，三年后你要么有张无赖的脸要么有张实在的脸。清高的秀美的脸最帮不上忙。默默无闻闭门造车，三年后的今天你就知道它不合辙了。

面试题本身是好回答的，但夕夜觉得面试很不理想，教授们看她的眼神好像从没见过她，问题也总是重复。

“你叫什么？”

“顾夕夜。”

“顾什么？”

“夕夜。夕阳的夕，夜晚的夜。”

晚上回寝室后，夕夜呆呆地坐着，假装在听歌。室友进出时毫不掩饰幸灾乐祸的眼神，这一点也不能让夕夜恼，最让她恼的是她自己。

她不是第一次输，是一直都在输。将来该怎么办呢？

到了周五晚上，学院开了毕业去向面谈会。

起初，学生们一个个被叫进会议室去告诉政工老师自己毕业后有什么打算，后来变成十个十个被叫进去，很郑重的事变成了一件很不耐烦的事。夕夜属于被十个十个叫进去的其中之一，落坐时看见老师把疲惫和烦躁都写在脸上了，虽然她还是努力在摆出亲切的阵势。

前几个人在说时，夕夜的手就在桌下冒冷汗。等轮到她说时，其他人都很惊异她们所熟悉的孤傲气质竟不见了，说着话的这位怯懦得像是拼命招引人家去咬它的鱼饵，看不懂她眉目为什么这么模糊，声音为什么这么含混。

夕夜也不懂，为什么自己被多问了一个问题。在回答“找工作”之后，立刻被追问：“找到有意向的单位了？”看老师貌似关心的神情，却好像不相信自己能找到工作似的。

可这问题确实又给了女生一闷棍。是呢，还没有真正开始找工作，本应该早就开始的。

政工老师最后说愿意帮夕夜介绍工作，可以考虑考虑想不想去。夕夜其实很清楚，她也不是真正关心自己，而是关心院里的就业率，出现一个失业的学生都会让数据不那么完美，她要的也不是所有的学生都真正找到工作，只是三方协议中就业单位的那个公章，至于那单位是大是小是好是坏存不存在，实在不足为道。

夕夜坐在那儿呆滞地听别的学生说去向，心里却揣测着大家的居心，越来越焦虑急躁，绝望在身体里滚来滚去，碾疼了每一根神经。

[十]

从会议室回寝室，没有人与自己同行。步履有点颠簸，神思有些恍惚。

走出几步，听见身后似乎有人在叫自己，夕夜犹豫着回过头，耳畔仿佛突然响起了那首圆舞曲，如同当年一样。

16岁那年元旦，学校的通宵游园祭活动中，颜泽要去招呼同部门的朋友，留夕夜一人在楼梯口离开了。

女生独自玩了几个摊位，从一点也不吓人的鬼屋出来后，感到索然寡味，无聊地沿着走廊东张西望，消磨全校联欢晚会开场前的时光，逛着逛着，看见走廊转了弯的另一侧有两个同班的女生。

她们和颜泽关系还不错，自己又是颜泽的死党，那么朋友的朋友，也算是朋友吧。夕夜想上前去和她们打招呼，然后顺势一起下楼去看演出。

无奈走廊上挤满了人，交通不畅，那两个女生又已开始从另一边的楼梯下去，夕夜有点着急，想开口叫住她们，对着空气作势半晌却还是放弃，心想着只要快些赶过去就好。

一个叫肖晴，一个叫翟静流，清清楚楚记得她们的名字。

甚至五年后的今日，依然记得。

为什么当时就是不敢开口。可能性有多大？她们听不见或听见了却笑一笑径自离开不与自己同行，留下自己尴尬地站在同样听见叫喊的围观人中间。

总之，如果能无声无息追到近前再小声邀伴就好。为了追上她们，奋力拨开人群，甚至因为动作太无所顾忌，途中被路人甲乙丙丁咒骂。到达两个女生刚才所在的位置时，还隐约能看见她们在下一层楼。于是又跌跌撞撞地追下去。

等到终于下到一层，视野变得开阔，那两个女生却早已混入人群。

夕夜一边喘息一边原地转着圈环顾四周，一些人穿着校服，大部分人穿着花花绿绿的便装，三百六十度又三百六十度，其中没有一张她熟悉的脸。

全校学生两千多人，认识的五十多人，能真正算是朋友的两人。

真正的孤独是在拥挤嘈杂的人群中感到孤独。

仿佛跌入万丈深渊的瞬间，是谁在身后轻声叫自己的名字，邀请自己一起去晚会现场？

那瞬间所有的细节都被铭刻在大脑皮层深处，冬青树根部的绿色照明灯，闪着金色星光的线香花火，五颜六色的荧光棒，高年级的女生经过身边留下的花香，烧烤摊飘来的章鱼小丸子的气味，以及——

晚会开场前循环播放的圆舞曲。

不知道它的名字，却清晰地记得它曾驱散过孤独。

多少年过去都依然能在它重新响起时停下脚步，多少年过去都依然能哼唱那段旋律。只因为它是那个瞬间的背景音。

夕夜回过头，在走动的人群中看见了静止的季霄，淡淡的月光下离自己两步之遥，与五年前一模一样。

男生没什么过剩的表情，右肩背着包，左手卷着两本书。

“刚下课吗？”

“下课后又继续在教室自习了一会儿，你怎么也这么晚？”男生示意要帮她拎包，“周末还活动在教学楼这一带的人都看起来很凄凉。”

“我们系开毕业去向面谈会。”

“我说呢！怎么风间没陪着你？”

“……别提他了。”夕夜不耐烦地挥挥手，“你是打算保研出国还是直接工作？”

“应该是直接工作吧。”

听他说得轻描淡写，夕夜反而有点失落：“是啊，你们专业是不愁的。”

“说得你好像是核物理专业似的。”

“核物理专业反倒好分配了！哪像我们这么劳心费神……”迟疑了一下，又做好再度失落的准备问，“已经联系好了接收单位吗？”

“还没有。”朝夕夜爽朗地笑了一笑，“不着急啊。”

意外得不禁蹙眉失声道：“欸？已经都这时候了啊！”

“怕什么？我们这么优秀。”

男生半开玩笑的语气，转向自己的脸上也确实带了微笑。那样的微笑，好像把什么样的伤痕都抚平了，把什么样的曲折都虚化了。

夕夜说不出话，哽着喉咙，跟在他右侧身后一步，垂下眼睛去度量脚跟与脚尖之间的距离。

走在一起，却不知道怎样比肩。

第六话

【The Weather With You】

车外的山全着了魔，模糊了深浅，颠倒了高低，

泥石流汹涌地从山脚往山顶走，

太阳追着沙石从山脊滚进山涧，那灼热温度把蔓延向天空的江水煮得沸腾。

[一]

周五一起到风间和季霄的住处聚餐，亚弥邀来了乔绮和他男友，夕夜下厨，忙碌了两个小时终于折腾出一大桌菜，亚弥嚷着不够，又打电话叫了两个外卖。吃过饭玩了一会儿桌面游戏，男生们很快就扔下女生们去打PS，亚弥和乔绮盘腿坐在茶几前翻杂志挑想看的电影，夕夜又转回厨房去洗碗，忙到十点多才闲下来到亚弥身边坐着。

风间抽个选角色装备的空当回头问她："明天还有面试吗？"

"傻瓜啊明天星期六！"亚弥抢嘴嘲笑，"哪儿来的面试官那么勤劳！"

夕夜脸上带点笑说："是呢，明天没有。"

"真没有？"

"真没有。"有点愣。

"真的？"男生又正色问一遍。

夕夜才反应过来风间在逗她，瞥开眼看看周围，已经没人在听他俩说话了，但还是难为情地笑一下："工作也不是你想的那么容易找，这种节骨眼上你得无条件支持我欸。”

“好几年没见面了，怎么支持？”

“夸张。”女生说得飞快。

风间终于笑起来：“前天也是，昨天也是，不仅见不上面，连电话也不接。”

“晚上回你电话你也没接。”

“那时候正在上课啊，等下了课给你打过去，你又关机了……”男生正半说笑地控诉着，被女生扔过来一句“那可不是一下课就打了，我十点半才关机睡觉”打断，只能认输地露出抱歉神情。

这时季霄扭头催促风间：“欸欸！开始了。”

风间没理他继续和夕夜对话：“明天跟我去趟公园？”

“去干吗？”

“玩呗，天气好就拍拍照。”男生不等女生回答又追加了一句，“你好长时间也没出去玩了吧，整天宅在寝室，头上都要长蘑菇了。”

“还玩不玩啊？”季霄再催一遍，拿另一个手柄的许藤迁也转过头来看向风间。

但风间却一副夕夜不回答他就不继续打游戏的架势，看也不向他们看。

夕夜余光扫见季霄脸上浮出的不耐烦，连忙点头答应风间。

风间微微侧过身重新拿起手柄，两秒后又停下动作，发现季霄斜着的眼没看屏幕而是仍盯着自己。两个男生较劲似的对视着静了须臾，季霄放下手柄撑着地面站起来，朝夕夜问：“你们谁要喝香蕉奶昔？”

亚弥迅速举高手叫唤：“我要我要！”接着又自作自张地代为回答，“乔绮也要，夕夜也要。”

藤迁一听乔绮的名字反身一骨碌爬起来："要不要帮忙啊？"虽然是个问句，却没等回答就往餐厅走去。

夕夜见势连忙也跟着跑去，一边喊着："欸欸！你们别乱动，等我来弄。"

乔绮放下杂志，目光在屋里每个人脸上飞了一圈，喊住男友："藤迁你不是做事的人就别去添乱，待会儿把人家瓶瓶罐罐都摔了。"

大概因为乔绮比藤迁大几个月，平时摆惯了姐姐腔。藤迁很乖地坐回电视前，捡起手柄，问风间："那我们俩继续玩吧？"回答他的却只有身侧男生坚硬的脸部线条。

[二]

季霄可没有调酒调饮料的特长，不过是心血来潮。饮料端出去获得两个小女生高度赞扬。

但到底不是会做家务的人，扔下个烂摊子，搅拌机和备餐台的清洁都留给夕夜负责。过了一会儿，男生又返回来在门口探个头道："我来洗吧。"

"你别沾手了，过来帮我弄一下袖子就好。"

目光放低了，看见女生原本挽在手肘的左侧衣袖果然滑至手腕，边缘被溅起的自来水濡湿一圈，蓝色变成深蓝色。季霄绕到她左边去。

感到男生遮去大半灯光，使自己左脸颊微妙地凉了一点，无意识地看他一眼，再回头，就因为这么两三秒的一个回眸，知觉异乎寻常地灵敏起来。

男生无意间投在她肩颈交界处的呼吸，眼窝处那两片蓄着孩子气的暗影，白得没有血色却愈显贵胄气质的指节，平时丝毫不会留意的细枝末节被放到无限大。

卷袖子时手指不可避免地碰到手臂的皮肤，夕夜猛一哆嗦，大幅度把手臂抽去老远，抬起眼看季霄，手还悬着，眉心中间稍高，呆头呆脑的。

看见他这样，心就像被指甲掐了一下。

刚被卷起一折的袖子再度松松地落下，夕夜极不自然地掩饰过去："还是算了，反正马上就洗完了。"

季霄仍是两眼茫茫然，再加一点没帮上忙的遗憾。

夕夜发现总是在这种时候，这样的迟钝使他忽然重新有了一双停留在过去的少年的眼睛。

惹女生动心的，又使她们委屈的，惹女生欢喜的，又使她们怨愤的，都是这么一双眼睛。掀起惊涛骇浪之后，它们自身却像冰封湖水一般平静，内里蓄满了对惊涛骇浪的不理解，对错的准则合不上外界的齿轮。

就像现在，季霄什么也没理解，说："哦。"

[三]

十二点过后，夕夜准备回寝室，风间暂停了游戏去送她。亚弥提议就留在这里大家挤一挤，免得这么晚跑来跑去不安全。

"你和风间睡风间的房间，我和乔绮睡季霄的房间……"正说着，季霄飞快地插进话来："那我呢？"亚弥用嘴冲许藤迁努努："你和他睡客厅，石头剪刀布吧，赢的睡沙发，输的打地铺。"

藤迁最配合，使劲点点头，季霄见他状似小男孩，想起自己比他大好几岁，懒得计较：“你睡沙发。也别石头剪刀布了。”

内屋的四个人似乎都对此提议没有意见，亚弥又看回玄关处，风间和夕夜两人也不转身出门，也不重新进屋，颇窘迫地僵在门口。

女生犹豫半晌怯怯开口：“……不太方便，我还是回去吧……免得……室友还给我留门。”

“打电话让她锁好门不就行了么。”亚弥不解风情继续支招，“洗漱用具有新的，睡衣我可以借你。”

乔绮似乎有点明白过来，刚想开口说点什么，却被夕夜打断：“嗯，那好吧。”

季霄微怔，抬头望向夕夜，见她正俯身换室内鞋，风间的动作比她稍慢。

亚弥找到了中学时学农外出合宿的兴奋感，蹦蹦跳跳地跑进季霄房间翻箱倒柜去找睡衣，没过一会儿还真的捧出两套分给两个姐妹：“夕夜穿我的衣服说不定会嫌小，喏，这套给你，这套我穿特宽松。”

季霄插话道：“她平时老用我们这儿的洗衣机，洗完了衣服又总不记得拿走。真受不了。”

“好像给你添了多大麻烦似的。”亚弥冲他瘪瘪嘴。

“衣柜本来就不大，给你占了三分之一。”

两人语速都快，客厅里一下子仿佛热闹了起来。

待众人轮流洗过澡准备就寝，亚弥像个小家长似的胡乱安排一通，心满意足地回了房间，乔绮已经躺在床上，脸被被子捂住一半，眼睛弯在没被遮住的另一半对她说：“你家季霄肯定最近才晒过被子。”

亚弥钻进去，也模仿乔绮的姿势，闻见了太阳的味道：“他挺有收拾的。”

“这么好的男生不多见，你可得把他看牢。”

“天天看着呢，能看不牢吗？除非风间横刀夺爱，那是取向问题，我只有祝他幸福了。”

“别开玩笑，你没看出来他和顾夕夜有点苗头么？”

“夕夜？”亚弥一愣，转而像听笑话似的乐了，“怎么可能！他们俩要是互相有意思，早在高中时就会在交往了。当年朝夕相处都没擦出火花，现在这么偶尔见个面吃顿饭能燃烧出什么激情？夕夜都有风间了，风间也那么好。”

乔绮完全蒙头躲进被子里，压低声音：“可他俩看上去感情不好欸，一晚上都没说几句话，而且，刚才你一说让他们睡一起，顾夕夜脸红得都能站在路口拦截车辆了。”

“不会吧。他们都是大人了，交往也那么久了，又不是高中生谈恋爱。再说夕夜后来不是又果断同意了吗？”

“所以我才说她喜欢季霄啊。你仔细想想，她同意是不是在你说把睡衣借给她之后？”

“嗯，好像是啊，但那有什么……”

“傻瓜啊你，她那是误会了你和季霄，在跟季霄赌气哦。”

亚弥在被子里和乔绮大眼瞪小眼，使劲眨了两下眼睛。

乔绮又说：“然后呀，季霄还很唐突地插进女生的对话里，故意说明你和他没有同居，只是你借他洗衣机。对吧？”

亚弥又眨了两下眼睛。

“后来顾夕夜知道误解了，但又已经答应留下来，骑虎难下，表情相当不自然的。”

“……我都没看见。”

“你忙着和季霄嘻嘻呵呵去了，哪顾得上看她。”

亚弥虽然对乔绮的话将信将疑，但已经感到危机四伏：“那我怎么办啊？”

“所以让你看好季霄啊，以后尽量少让季霄和顾夕夜见面。”

亚弥神色凝重沉默许久，方才感到被子里氧气稀缺，把被子掀开至胸口，大口呼吸两次，平静之后又忽然笑起来：“那风间和夕夜这时候在房间里岂不是很尴尬？”

“你还笑得出来？还有心思笑别人？神经是麻绳编的啊？”乔绮用难以置信的眼神看向她，“这种时候应该制定个防守计划了吧！”

[四]

没有人能够阻止爱情的发生，就像没有人能够挽回爱情的消逝。

更让人无能为力的是，你所以为的深情也许从不是真实的。

[五]

深秋的公园铺满了梧桐落叶，视野被染成金黄色，阳光把微微颤抖的眼睫阴影投在脸颊上。

夕夜合上眼帘，听同伴们踩过落叶发出的簌簌声，眼前一整片耀眼的红。

“困了么？”

反应了几秒才意识到风间是在问自己，夕夜睁开眼笑笑。

“你昨晚几乎没怎么睡吧？”男生临着她撑地坐下，伸过胳膊垫在她的颈部和树干之间。

女生顺势向他的肩微微靠过来：“我习惯一个人睡。你倒是睡得很踏实。”觑眼看见亚弥正在把野餐的食物一样样从包里取出往外摆，“她到底带了多少吃的啊？”

风间“噗嗤”一声笑：“都是季霄背来的，她哪儿出了力！”

夕夜把视线偏转一点，季霄袖子挽至小臂靠上的位置，时而屈膝帮亚弥摆放东西，却从不弯腰。

他走动在太阳直射的区域，因此眼睛眯成缝，微蹙着眉。又仔细一想，没有阳光直射时，他也常这样蹙着眉，否则便是绷着脸不说话，好像对面前所有事情都不擅长却要硬着头皮来处理，总感到十分困扰十分苦恼十分不情愿，眼睛里写满七八岁小男孩的那种执拗。

夕夜从来不知道，在别的女生眼里所谓的“酷”从何来，反而总觉得季霄很小很傻很可怜。

雷同的场景变了个平行蒙太奇戏法，把思绪带回了高二外出学农的时候。

有一天全班徒步从学农基地走去附近的生态村摘菜，中午学校的巴士运来盒饭，女生们受到照顾，挤在车里吃。男生们露天端着饭盒要么站着吃，要么席地而坐，可不巧是大风天，尽管努力背向风，还是免不了吃到‘沙尘拌饭’。

那时的夕夜不经意抬头，隔着车窗玻璃在人群中看见季霄。

其余人都不时转圈以应对难以捉摸的风向，笑着闹着大声嚷着，对脚边的瓜果蔬菜表现出好奇，个别不安分者端着饭盒便追打起来。例外的只有季霄。

新凉出国交流，颜泽失忆，夕夜又和他为了颜泽翻了脸互不理睬，于是原本算得上班级核心小集体中核心人物的男生，少见地变得形单影只。

一个人站在距离大多数男生五六米的远处，无论风向怎么变化都岿然不动，眉间拧个疙瘩，露出倔强又苦恼的神色，埋头往嘴里数干净饭粒。

不知怎的，夕夜有点心酸，忘了他曾经怎么冤枉自己，此刻只想叫他进车里来吃，又想起自己没有这种立场，喊出声只会惹人笑话，然而怀着无能为力的心情继续看他，似乎又更加心酸。

再仔细一点观察，身型怎么能那么瘦，肤色怎么能那么苍白，孤零零的姿态让人不知从哪儿开始关心才释怀。

两个女生很快吃完，起身把空饭盒放在指定地点，结伴去水池边洗手。

夕夜低头时用眼角余光一扫身旁的两个空位，又动了叫季霄进来的念头。这念头独自与许许多多顾虑相抗衡，成了反复的拉锯战。

男主角大概想都没想过，哪个角落的哪个女生脑回路拉帮结派各自为阵，由自己在哪儿吃饭引发了激烈的思想斗争。

几天以后偶尔回想，女生也觉得是不足为道的小事一桩，小得几个月后甚至彻底想不起。

但几年后同一个人同样的张望将她拽回曾经，一切都历历在目，一切都让人难过。

没有做错什么，却总想说对不起。

不明白是为什么。

身影移动到何处，目光焦点便跟随去向何处，风间不是没觉察，他不知道该怎样挽留，就像不知道怎样挽留过去所有离开自己的人，父亲，以及夏树。蓦然抬头，秋日的天空一碧万里，绵延无际的苍绿树叶间漏下跳跃的阳光，桂花被夹在风中，落在夕夜纤薄的后肩。明明是和暖温馨的画面，却让人想起感伤的断点。

和夏树是坐在大学校园风景区的长椅上分手的。同样是落英缤纷阳光明媚的日子，当时并没有觉得痛苦和依恋，内心平静如镜。夏树说这段感情从一开始就是错的，风间也没有提出反对。

初中时在补课班一见钟情，却因为夏树父亲工作调动两人天各一方，无法得以成全的悸动过度夸大了对方在自己心中的分量，本不是完美的人，却因相思漫长幻化成完美，结果爱慕的也不是对方，而成了自己的想象。

如果高中重逢时没有决定交往，最初那惊鸿一瞥很可能成为贯穿一生的美好回忆。

可现实却残酷地让一对情侣各自意识到对方和自己心目中那个人有多大差异，不是粗心与大度所能掩盖。

“乐观地说，总算成全了一个梦想，哪怕这梦想和自己预期的不一样，总好过陷在遗憾里不能自拔。”

犹记得夏树说这话时漫不经心的口吻，也记得自己当时感觉到彼此的心理距离渐渐拉开，却压根没体会出痛彻心扉的忧闷，就像看见与己无关的电影片段中令人怀念的风景渐渐远去。

两个月后的一天晚上，风间被大雨困在便利店门口，积水的地面反射的车灯光有节律地刺激着眼眸，忽然想起什么，回头看向明晃晃的店内，夏树穿着松叶色的裙子、红色睡裤和白色羽绒服，一身滑稽行头，不协调地出现在货架间。眨眨眼睛，她便消失了。

再眨一次眼睛，眼前陡然一片空白，耳畔响起自己曾经在这家店对夏树说过的话：“不知道的还以为是店里请来的迎春吉祥物。”

再次转向店外街道时，瞳孔前已蒙上一层雾气。

原来悲伤浓缩成左胸腔里一个滚烫的球体，彻底取代了心脏，所以才感觉不到心痛。

[六]

“季霄，你跟我去那边走走。我有话跟你说。”亚弥鼓着脸，把手插在卫衣口袋里，又把手肘横向撑起来，看起来像叉着腰。

男生注意到她的虚张声势，以最快速度配合她把零食归拢收拾好，帮她多拿了件外套，赶上来。

“怎么了？”

“我跟你说啊，你以后别像蝴蝶似的在夕夜周围绕啊绕了！”

“噗——”男生不管她发火的原因，先笑起来，“我哪里像蝴蝶？”

“说像苍蝇你乐意吗？人家有男友的好吧，什么时候轮到你献殷勤了？”

“你干吗饥不择食啊，什么样的醋都乱吃。”依然笑着。

“……我没有吃醋！哎——我懒得跟你说。反正你和夕夜就是太不像话了！把我和风间当作空气啊！”

女生越是生气，男生越把她的反应当有趣。

“夕夜和我从高中就是好朋友，她又没有家人，我就像她的家人，我能对她不理不睬吗？你乖一点啊。”

“别把我当小孩了！乔绮说男女生之间没有好朋友没有好兄妹，只有男友女友和暧昧对象！总之我不许你再搭理顾夕夜了！”

“又是乔绮。”这才敛起笑容，“你也有点主见好么？老听她挑拨干吗？”

“乔绮才没有挑拨！本来就是这么回事！我给你带的咪咪虾条都被你拿去讨好夕夜了！”

“……就为了个虾条……你要这么较真我就没办法了，哪有这样无理取闹的。”

“光是我较真？生气了你不可以哄一下吗？就知道狡辩！”

季霄不再与她拌嘴，绷着脸把头别向另一边，一言不发。

沉默了十几秒，亚弥跟着走了几步，心里发慌，生硬地搭讪说：“这是在哪儿？你认得回去的路吗？别到时候和他们走散了。”

男生回头，看她一副急急地改过了不承认刚才闹过别扭的神情，气也消了一半，顺着台阶下：“这条路就是往回去的方向。”

亚弥上前揪住他袖子，直接戳他一下：“你怎么气性那么大，黑面干吗啊？反倒像是我做错了什么似的。”

“你还没错？哪有你这么冤枉人的？”心平气和地牵住她。

亚弥觉得这一场白闹了，一点没让季霄认识到问题的严重性，心里堵得很，又不敢继续发火把季霄彻底激怒，静下心想想，经过提醒，说不定季霄会有分寸，决计还是和乔绮再商量商量对策。

回程车上，亚弥甩了明显的脸色给夕夜，敏感如夕夜者立刻觉察出来。

事后问季霄，季霄把这一闹当笑话转述给她听。

“我们除了在学校意外碰见，其余大部分见面的时候她不也在场么？这也能生气啊？”

季霄也笑了：“都怪乔绮给她乱灌输奇怪思想，她其实就是个心智不成熟的小孩儿，经不住煽动。”

“这哪儿叫煽动？这是空穴来风吧。”夕夜长吁一口气，“我们俩能有什么啊？要发生点什么早发生了，在你和颜泽交往前就发生了，我和你的关系可比颜泽和你的关系好得多，退一万步说，真想发生点什么，在你和颜泽分手后也早该发生了，还轮得上亚弥出现么？真搞不懂现在的人都是怎么想的。”

“……就是。不过亚弥也没有恶意，闹得再凶哄一哄就好了。”

“……小心眼……难道有了女友的人都不能和异性说话了？”

“怎么可能呢？”季霄在下一辆车过来前换到夕夜的左侧走，“话说回来，你最近和易风间怎么样？”

“……”夕夜迟疑了一下，“我想跟他分手。”

“啊？”语气词淹没在车辆经过时的呼啸声中。

[七]

面试原定于下午两点开始，夕夜一点五十分到达电视台，说明来意后由工作人员带到会议室等待，但直至四点都再没有人来过问。

女生忍不住沿着走廊在附近走动，几个办公室里的人都行色匆匆看起来很忙碌，她也不敢贸然打扰。又过了半小时，最初那个引路的工作人员才又出现：“人事部现在正忙，你稍等一下吧。”

夕夜只好又回到指定座位坐如针毡，懊恼着应该带本书来打发时间，哪怕有本杂志也好。无意中瞥见裙边磨毛了，伸手把那一段折进去，用指甲掐出新边。

接下去的时间，大部分精力都放在犹豫是该离开还是留下继续等。

捱到五点五十，终于来人通知她去525室开始面试。离下班还差十分钟，整栋大楼都人心涣散，面试人员自然也不例外，随便问了两个问题草草了事。

夕夜没有天真到认为自己能被录用，现在面试基本上都是走个过场，最后录用的人总是“关系户”，尤其电视台这类热门单位。

出了电视台正赶上下班高峰。预计高架路一定正悲剧性的水泄不通，换了两次地铁，在空气混浊的车厢里耗去一个小时，出地铁口时已经七点多钟，鞋跟磨损得难以保持平衡，小腿以抽筋来抗议，回学校的一路走得极慢。脸颊被冻得麻痹，视界里密密匝匝挤满雪子，才想起早晨校园天气预报说有雨夹雪。看它们疾速下坠，觉得自己也要坠下去被锁进黑暗里。

正准备推开寝室楼门，身后突然有男生在喊：“哎，请问一下……”

夕夜停住手上动作，转过头，看见一个男生带着笑腔朝这边继续喊：“……去哪里能打胎啊？”随即和他身边另两个男生笑作一团，很快跑远。

夕夜脸上没有任何表情，沉默的姿态好像在等待大雪停下。降下的已变成雪片，风势也更大些，使雪的下坠轨迹形成蕴蓄着狂野的螺旋形。

她从口袋里翻出手机，待机画面中唯一闪烁的是时间栏小时与分钟数字间的冒号。

没有新信息，没有未接来电。

[八]

风间与夏树分手的原因是——

他妈妈整天不见儿子人影，感受到儿子被抢走的威胁，转而强烈反对。

不经意的一句话，像一粒种子被埋入心岫。

谁能想到它衍化为嫉妒，悄无声息地拔节疯长。

为什么你和夏树如此契合？

为什么你对我却没有丝毫惦念与牵挂？

[九]

风间三天没联系上夕夜，不知出了什么状况，心急如焚地跑到寝室楼下让楼长在广播里喊话。

过了一会儿夕夜安然无恙下楼来，一脸倦色地问："什么事？"

虽然样貌声调没变化，但风间瞬间觉得她不像是自己认识的那个夕夜了。

不再是那个不敢出声只爱用眼神说话，小心翼翼，愁肠百结，情感不外露的女生，换了个理直气壮又冷冰冰的女生，仿佛一夜间有了靠山，再不需要看人脸色行事。

这变化让风间感到着实诧异。知道她最近工作找得不顺利，理应连原本那点骄傲也消磨殆尽，而此刻她失踪三天后居然生硬地反问自己"什么事"。风间压着怒气冷静地说："你这几天上哪儿去了？"

“就在寝室。”

“那怎么不接电话？”

“不想接。”夕夜坦然接过对方讶异的视线。

风间这才意识到女生并不打算进行心平气和的友善谈话，反倒无法运用自己一贯玩世不恭的腔调语气，有点退缩：“怎么了？”

“我们分手吧。”

并不是毫无前兆，但也叫人刹那间哑然失语。

虽然交往的时间不算短，但风间早已觉察两人无论怎样努力也无法消除彼此间的陌生感。

“我们从来没有谈过恋爱，与其如此倒不如说是在两个平行宇宙里各自谈着恋爱。我知道你一直没有忘记夏树，对此我无能为力。你和她一起经历的事情我没有经历，你和她一起走过的路途中没有我，她是你第一个爱上的人我改变不了，当你看着我的时候，我不知道该拿什么去和你眼里的夏树竞争。我喜欢你，不想失去你，可我更不想和一个一点也不爱我的人过一生。我已经生活得足够艰难，不能再作茧自缚自找麻烦。对不起，我已经忍受到极限了。”

夕夜不无凄凉意味地一口气说完，以一个尽显无奈的微笑作结。

风间知道自己不能改变什么，淡然笑了笑：“始终想着一个人的只有你。我的感情和你的性质不同。我和夏树在一起过，最后分开也没有遗憾，就像完成了一个青春祭，无论快乐悲伤都已是过去式。对这份感情将来我还是会怀念，但不是留恋。你却不一样，你没有得到过，没有对那个人失望过，没有被他伤过心，你对他只有美好的印象，和他在一起是你未了的心愿，不完成它你没有办法说服自己前行。”

夕夜屏息望着他，震惊于没有在他脸上找到一丝张皇。

不管他说些什么，内心还是没有多在乎自己。正因为怀着极端失望的心情，所以才没留意他究竟说了些什么，也并不知道，风间比自己更了解自己的内心。

虽说是和平分手，但夕夜不是没在内心反驳过：我也被贺新凉伤过心，对他也不止美好的印象，和他在一起确是我未了的心愿，但不可能因此就驻足不前。

说到底，贺新凉在我心中的分量远远比不上夏树在你心中的分量，原因并不在我。

没说出口的话流经过脑际，心态自然理直气壮起来，觉得自己是彻彻底底的受害者。

[十]

说不清是工作机会难得，还是为了逃出去一个人静一静。

萎靡了一周后，夕夜去面试远在大理的一个职位，临行前没有和谁告别。但刚下飞机，就接到季霄的来电。

夕夜强打起精神告诉他自己没出事。

“你和易风间的事我听说了，我也不好评论什么，只求你保持通讯畅通，在外照顾好自己，每天给我报个平安。”

“我知道了。”

女生这边刚想阖上手机，听见传出嘤嘤的说话声，又把它放回耳畔。

“我说夕夜……”那边迟疑着，“你记不记得……高二那次辩论队集训你没按时报到。”

女生一愣，揣摩不出季霄为什么要旧事重提：“嗯，那天是我妈妈的忌日。后来被带队老师狠狠说了一顿，怪我没及时联系。好像那次你也无故迟到……”

“……我去找你了。”在两个人已经闹翻的情况下。

“欸？”

“当时我打电话给颜泽，她说你早就出发了，我想起你不久前才出过车祸……我们没法不担心……虽然没有合适的立场……但是夕夜，我不能想象从此和你天各一方，这个城市总有你留恋的东西，回来好么？”

女生怔住，半晌没有回答。

高中时代的一切像云层上倾泻而下的天光，“哗啦”一声杂乱地落在眼前，有些令人措手不及，它们毕竟已不可替代地成为了日后所有珍贵回忆的起始点。

不再亲密的姐妹，也曾为你的安危担忧。

失而复得的朋友，也仍为你的去留挂心。

由琐碎的少女情怀密密匝匝织成的十七岁夏天。

大雨时行，阅历薄浅，未来未明。

真实的年华从不断剥落的釉质中脱颖而出。

季节流失的音律，像骨骼拔节生长时发出的微妙声响一样清晰又动听。

这个城市有许许多多的不美好，但你所经历的一切美好却又都与它有关，旅途再远，无法抛弃的回忆也会使行囊沉重，使你飞得再高也是一枚风筝，棉线连着故人。

夕夜原想，既然来了大理，就当积累一次面试经验。谁知之后的几天连日暴雨，导致航班全部延误，滞留在大理，无法回学校参加期末考试。

急得像热锅上的蚂蚁。

最后狠下心决定坐长途汽车去昆明，再经由昆明回上海。然而，到了楚雄地界内，又被告知前方路段发生泥石流，所有车都停在了高速公路中间。

夜幕渐渐降临。

从行李中翻出带来的所有衣物裹在身上保暖，依然冷得直打寒颤。车窗外有投机分子以惊人的价格贩卖面包和水，却遭到疯抢，大家都不知道还要在这里被困多久，与家人的通话多半以诉苦和抱怨为主。

山脉坍塌在不远的前方，风声传递着比平日更真切的讯息，使人感到这坍弛带有深远的寓意。

夕夜望着窗外茫然若失。

如同一架被拔掉电源的机器，日复一日的焦躁繁忙与此刻的停顿形成鲜明对比，像山陵间断裂出峡谷，无法排遣的空虚与彷徨蕴于其中。

如此滞留了三天，交通依然没有疏通的迹象，乘客都不时心急如焚地下车张望。

女生感到饿，翻找出最后一袋饼干，发现昨晚和季霄无节制地通短信，已经把手机电池耗光，缓了四天的空虚和紧张翻上心头。

食物的稀缺倒在其次，身边已经没有饮用水，嘴唇干得开裂。

又渴了两天，路段终于通了。

给人一点希望。

可行了不到半公里，车又陷在泥浆里打不着火，听说前方路段又因交通事故再度拥堵。

大部分乘客都响应司机号召下去推车。夕夜饿得全身无力动不了，又怕被人看见指责，只把整个身体蜷缩起来，往座位深处躲，突然发现前面座位底下滚着半瓶矿泉水，捡起来朝四周看看，没有人注意自己，赶紧拧开盖子，用衣袖潦草地擦擦瓶口，偷喝几大口。

正值此时，隐约听见车外有人在叫“顾夕夜”。

做贼似的哆嗦了一下，压低头往座位下方缩，接着又听见叫了一声，比刚才更真切。

夕夜这才觉得好像确实有人在找自己，抬起头扒在车窗上往外望，没有发现异常，叫喊声也消失了。

看来是又饿又渴产生了幻觉。

自嘲着缩回原位。车外却真真切切地再传来一声喊叫。

夕夜侧过头朝向窗外，看见从侧前方一辆车上下来的人竟是季霄，而对方也看见了她。

还是无法判断是现实还是幻觉。

想起自己已经一周没沾水，刘海都出了油黏在额头上，女生只是条件反射地离开窗边躲在椅背后。

几秒内，男生一路喊着她的名字从车辆前门追过来，直到跑到她跟前，右手搭在前排座椅靠背上喘着气，才显露松口气的神情，眼里含泪似的，朝女生笑一点。

天光的颜色在他身后微妙地变了。

“……夕夜。”

整个人缩在座位里的夕夜愣愣地看着他，发丝在眼前乱起来。

抬手揉一揉眼睛，身影还是如此清晰。

逐渐意识到这不是什么幻觉。知道自己应该张口，却没听见自己发出的声音。仿佛预感说的话会像不稳定的水蒸气，瞬间消散在空气里。

反倒是男生开口打破了僵局："打你电话，一直说'不在服务区'。"

夕夜想到自己此刻在他眼里的邋遢模样，想到刚才偷人家扔掉的半瓶水喝，想到赖着不下去推车的自己，在心里把自己贬低到底，又觉得委屈，突然嚎啕大哭起来："手机……没电了……"

季霄毫不介意她脏兮兮的，一把揽她进怀里，哄小孩似的拍着，眼角余光瞥见自己和夕夜被看热闹的人围观，有点羞赧，但女生的哭声立刻就把这羞赧覆盖，听见她哭得上气不接下气，男生自己也鼻子发酸，半跪在她座位旁的过道上，把她抱得比之前更紧。

过了十几分钟，哭声才抽抽搭搭慢下来，女生红着眼睛退开一点距离，问："你怎么来了？"

听见这问句的季霄把视线偏向一旁的车厢地板，不好意思地笑了起来："我也不知道我怎么来了。"然后他平视着看住她，"你帮我想一个借口。"

女生迎着他的目光，眼睛大起来，瞳光奕奕像初临世界的新生命。

车外的山全着了魔，模糊了深浅，颠倒了高低，泥石流汹涌地从山脚往山顶走，太阳追着沙石从山脊滚进山涧，那灼热温度把蔓延向天空的江水煮得沸腾。

——你没有得到过，没有对他失望过。

——你没被他伤过心。

——你对他只有美好的印象。

——和他在一起是你未了的心愿，不完成它你没有办法说服自己前行。

一直以来，认定最爱的人是贺新凉，有点无厘头、有点花心、热血又阳光的贺新凉，你以为自己对他念念不忘，却不曾发现记忆的每次闪回有他，也少不了季霄。

镜面之上与镜面之下的世界如出一辙互为表里，以至于混淆了分割的界面融为一体。

你辨不清哪一端才是真实的世界。

时至今日才想起分界线是高一时那条短信——

我从来没有对女生说过这样的话，但现在必须要问你：可以和我交往么?

发件人，季霄。收件人本该是颜泽，短信却被错发到夕夜的手机里。

——从那以后，你掉进了一个软绵绵的陷阱。

谁在辩论赛中抢先站起来替发怔的自己圆场?谁在游园祭中叫住倍感孤独的自己?

这些不重要。重要的是快乐、不快乐的一切时光，都有他参与其中。

不远不近的关系，不浓不淡的感情。静下心仔细思考你才会诧异：这个人究竟是什么角色?为什么在你的生活里出现频率如此高?

是什么。为什么。最基本的问题也没法回答。

就像他没法回答你一句“你怎么来了”。

知道你和男友分手后去了外地，揣测电视里一闪而过的灾害新闻似乎是你被困未归的原因，一路发短信安慰、解忧，手机电池耗尽后两天没你音讯便放心不下，搭车一路寻过来，车被堵在高速公路上，其实并不确定你是否被堵在受灾地点的另一边，就冒着生命危险穿过还有可能再次发生泥石流的地点，一辆长途车又一辆长途车地上去又下来，直到来到你跟前，看见你安然无恙，才松了口气。

忘了事先想好理由，是因为除了你的安危脑海里容不下别的东西，是因为不怵与你面面相觑。但这些他自己并不明白吗，你也未必明白。

像亲人却不是亲人，像恋人也不是恋人。

这样的羁绊，你找不出一种关系去定义。

第七话

【The Weather With You】

人生只有一个十七岁，快乐和忧伤也都只有一次，
后来的后来才明白，比忧伤更可怕的是成人之后的理性与麻木，
日复一日随着社会的齿轮被动旋转，
再亲密的朋友也会有保留，再长久的爱人也会有隔阂。
可悲的是，
你已经成熟到能够清醒地看透这一切。

[一]

“季霄，你能告诉我这是什么吗？”

亚弥冷着脸把屏幕上一串与夕夜互通短信列表的手机扔到季霄眼前。

“你翻我短信？”

“你不要岔开话题。前阵才和你说过离顾夕夜远一点，你还和她这样频发短信是什么意思？”

男生定定地望着她，放慢语速一字一顿再重复一遍：“你翻我短信？你懂不懂尊重别人？”

亚弥被他的语气慑住，支吾起来：“……你以为我想这么做吗？……如果你不是……和顾夕夜那么可疑……”

“我和夕夜有什么可疑？夕夜不像你，在这个世界上她没有亲人可以依靠了，对她来说我就像家人，她最近处境这么困难，找不到工作，又和易风间分手，我可以袖手旁观么？”

“对她来说你就像家人，那对你来说她是什么角色？”

“别钻牛角尖无理取闹了好吗？我现在不上课的时候都要去公司实习，很累，没精力陪你闹。你知道什么叫信任吗？你对我没有最起码的信任，我没法跟你对话。”

“季霄，你是个又冷漠又自私的人，你对别人不好你自己从来没有意识，你会让爱你的人感到孤独和不安，让人心里没底，更谈不上什么信任。我不像顾夕夜那么身世曲折茕茕孑立，但我也会有孤单难过的时候，我也会想有个人可以依靠，这并不是什么过分的要求，这不是无理取闹。总是我惦念你、牵挂你、主动联络你，你却每天每天用一个空白的收件箱、一个空白的来电记录、一个整天静默的手机来回应我，这不是珍惜。以前风间和你住在一起，我要了解你的动向总要问风间，现在风间搬回家住，我就彻底不知道你整天在干什么了。热恋的时候感到如此孤立无援，让我觉得未来非常渺茫。你知道颜泽当初为什么会离开你吗？因为和你在一起就是没有安全感，一直处于怀疑和自我怀疑的状态。”

“不要提颜泽，你和她话都没说过，怎么可能了解她的想法。”

“可是我了解你。”

“我不想和你吵架，你回去吧。”

“……我没有在跟你吵架。”

男生不言语，叹了口气，他知道无论怎么争执，最后妥协道歉的人都是亚弥，可是亚弥的问题他突然无从回答——

顾夕夜对自己来说究竟是什么角色？

以及，颜泽为什么离开自己？

他永远也不会忘记颜泽当年突如其来的那句“我们，走到这里就可以了”，永远也不会忘记颜泽的眼睛在公交车门的玻璃后缓慢地向右平移，眼里仿佛有无尽的言语。

他再也无法问颜泽求得答案，因为颜泽连和自己交往过的事都忘了。

[二]

虽是早春，校园里转眼已经绿树郁郁，让人觉得有些怪异。理科实验楼在树影之后勾勒出一段神秘的棱线，古朴的外墙萦绕着旧时光的气息，远远望去，在阴天的衬托下显得阴森。

走过高耸入云的光华楼门前的广场，总是被吹得失去方向。

[三]

夕夜登上选课系统调整了试听课，出寝室准备去邮局寄简历，刚走到单元门口就被人叫住。自知在学校熟识并保持良好关系的女生不多，瞬间诧异。

转过头去，只见一个素不相识的女生站在自行车棚前对自己微笑。

夕夜停住脚步等她走来，眼睛上下扫了两个来回，那女生清秀娴静，长发顺着风微微荡开，有种刹那间使陌生感荡然无存的风度。

“我是颜泽的朋友，叫黎静颖。”

夕夜听见颜泽的名字，不自觉思维慢了半拍，疑惑地重复道：“……颜泽？”

“嗯，是她让我来找你的。能找个地方坐下谈谈吗？”

女生抿着嘴，双手插进驼色大衣口袋，定定地看住黎静颖的眼睛，搜索着善意或恶意的蛛丝马迹。午后温暖的阳光均匀地洒在两人身上，宿舍区十分寂静。良久，夕夜用下巴点点学校侧门的方向，对黎静颖说：“这边。”

“我的父母是早年来内地投资的香港商人，我不是独生女，本来还有一个亲姐姐。但是，她三岁那年的一天，外婆和妈妈上街去买日用品，爸爸留在家照看两个女儿，因为我睡醒午觉在房里大声哭，爸爸上楼去照顾我，让姐姐离开了他的视线，结果在这短短的半小时里，有小偷溜进家来盗窃，不仅偷走了父母卧房里的贵重财物，而且竟然把姐姐也诱拐了。爸爸自责悔恨不已，妈妈也是从那时开始，得了抑郁症，在疗养院待了一年半，至今仍备受病痛困扰。多年来爸妈一直没有放弃过寻找她，可是却音讯全无。”

黎静颖在夕夜融混着同情与诧异的目光中抬起头看向她，从包里取出一本书，又从书内取出一张照片递到她的面前。

夕夜接过来，发现照片拍的是一张油画，画中是一位气质卓然的少女，和自己有几分相像。

黎静颖接着说下去：“这是我外婆年轻时家里请名画家为她画的，至今还挂在我家，那天小泽去我家玩，站在这张画前看了许久，说她闺蜜有一根和这画上外婆戴的一模一样的项链。其实这根项链我外婆在我父母结婚时送给了我妈妈，也在和姐姐一起失踪的财物中……”

说到这里，女生停下来，安静地看着夕夜。

夕夜满腹疑惑地从衣服里取出自己的项链摘下给黎静颖看：“我确实有根一模一样的，是我妈妈过世时留给我的遗物。”

黎静颖仔细看了看夕夜的项链：“这就是我外婆的那根，你看，挂坠背面刻了姓氏缩写。”

夕夜怔了三秒，这才恍然大悟，为什么黎静颖会来找自己，为什么颜泽会让黎静颖来找自己。随即笑起来，把照片放回黎静颖面前说：“我妈妈是在我初中时因病过世的，我也不是哪家走失的孩子，这些其实颜泽知道，真奇怪她怎么会弄错的。”

女生叹口气，又从桌上的书中取出另一张照片递给夕夜："对不起，来找你之前我擅自调查了一下，这是你母亲生前的照片，没错吧？"见夕夜点点头，继续说下去，"这张是我满月那天爸爸在聚餐时拍的照片，抱着你的是妈妈，抱着我的那个人，是当时我们家的保姆。"

这一瞬，夕夜感到全身的血液都冻结，颈上的项链变作一双手，将喉咙死死扼住。

无法呼吸。

两张照片里的"母亲"分明是同一个人青年和中年阶段的模样。

她跌跌撞撞冲出门去，白色塑料袋被狂风从树上扯下扔向她的脸，像已故"母亲"的魂如影随形使人窒息。

满腔恨意，却不知恨谁。

扶着沿街店铺外墙，无意识地跑了很远，最后被下水道井盖绊倒，跌坐在地上干呕。

掌心触及的地表灼热，地面在旋转。

[四]

霏霏细雨从三月底连绵到四月初。

甜品店玻璃窗上还悬着零星的水滴，亚弥斜靠在沙发一角玩PSP。

季霄第三次起身去店外接电话时，她连头也没再抬。男生没注意到的是，掌机中的画面早已停在了——"开始新游戏？"

就像当初和颜泽分手前，女生玩着俄罗斯方块装作没有听见他说话，只是不想与他争执。

亚弥已经不想揭穿他的变化。

对男友苦苦哀求劝他回心转意，或是软硬兼施击退情敌，这类事亚弥放不下身段去做。

前一天乔绮义愤填膺地打电话来控诉说看见季霄和夕夜在逛街，亚弥才明白这段时间季霄对她明显的冷落并不是因为上次争吵，也不是因为实习工作繁忙。

此刻她应了季霄的邀，以为男生要提分手，却没想到他只是一小时又一小时地犹豫着捱时间。虽然总欲言又止，但隔三岔五避开亚弥接电话的行为已经给了亚弥足够的预警。剩下的部分，对双方都是煎熬。

亚弥朝季霄的背影看了一眼，拨通夕夜的手机，果然是忙音。

回头后试着仰起头让眼泪不那么容易决堤，可是很快就已经感到连耳朵里都蓄满了泪水。

不是梦境，也不是猜疑。

死死地攥着过去，只看见一个又一个面貌模糊的季霄，穿白衣领蓝校服，穿黑色运动装秋季校服，穿袖子侧面有两条黑色长线的白运动校服，穿看起来像冬青树一样的深青色冬季校服，穿纯白色夏季衬衫校服……那些形象出现的次序紊乱了，使人怎么也找不出转折在哪里。

沿着明黄色行道边缘走得越久，就越容易忘了总有一步会抵达尽头。

伸开双臂保持平衡走得越快，就越容易忘了总有一步会踩空失足。

盯着前方走得越远，就越容易忽视天空中已斗转星移。

亚弥意识到，从今天起自己再不会是没心没肺又无忧无虑的了，也再不会爱一个人像爱季霄这样走火入魔不省人事。一个人只有在青春期才能如此无私无畏地把自己和盘托出。激烈的情绪以碾碎每根肋骨的决绝喷薄向外，又化作耳鸣倒流入脑海。

自己塑造出的期待，

自己造成的感动与绝望，

它们撕裂了自己向两个相反方向疾驰而去，于是最终青春也便这样疾驰而去。

什么都碎裂，什么都坍塌，什么都在所不惜。

等到恢复神智终于看清一切，已经失去了这一切。

这种失去之后，往往是长达几个月甚至几年的寂静，内心变成一个黑洞，吸收了所有光，外界则只剩茫茫一片的压抑。等到重新繁衍出新的宇宙，这世界已经不像之前的世界那样具有绚烂浓烈的色彩。

人就是这样长大的，谁都长成三十五六度的温水一杯。

季霄阖上电话放进口袋，转过身，见亚弥睁着大眼睛站在身后，心往下一沉，脸上浮出不自然的尴尬神色。亚弥从他眼里读出和解的企图，原来他不是来分手，于是她也狠不下心揭穿一切。

女生歪过头弯起眼，不知何故这一如既往的笑容此时看起来显得凄凉："时间差不多了，去找地方吃晚饭吧。"

男生飞快地点头，像个犯了大错却被饶过的小学生似的兴高采烈如释重负。

亚弥望着他异常积极拦招出租车的背影，又觉得鼻子发酸。

[五]

如果不是季霄和新凉极力促成，颜泽和夕夜可能都已经接受对方从自己生活中淡出，决心不再相见。

一场迟到太久的四人聚会。

让夕夜想起高一时四个人聚在校体育部办公室商量做课题的相似场景。只不过那时颜泽和季霄在交往，而夕夜喜欢的人是贺新凉，如今都已时过境迁。

很多年后再忆起此刻的相聚，夕夜意识到它带有一点仪式化的意味。

从此以后，无论什么人再提起贺新凉，都不能在夕夜心中激起涟漪，有时甚至可以坦然地笑道“我小时候还喜欢过他欸”。少女情怀留在了曾经——那段特别得熠熠闪光的日子里。

但当时，夕夜仍有些不自然。

“新凉已经决定回国内来工作了么？”明明新凉就在旁边，夕夜却别扭地转而问颜泽。

新凉自己却大喇喇地插进来回答：“在我爸公司。”

颜泽脸上瞬间闪过不悦之色，但立刻就又撑起笑容，顺口接过话题：“和季霄居然成了敌对公司的竞争对手。”

“倒没那么严重，我可是我们公司的新人，哪来什么敌对之说。”

“他们俩从初中开始不就经常被人拿来做比较么。”夕夜一边为季霄盛汤一边笑，“传说中的‘宿敌’啊。”

餐厅里暖洋洋的灯光均匀地笼罩在四人身上，仿佛彼此间再没有芥蒂。

正聊着天，夕夜从包里拿出的餐巾纸不慎落在地上，弯下腰去拾。看见颜泽翘着二郎腿，脚尖随音乐节奏打着拍子，兴奋快乐的氛围，而膝盖略略斜靠在新凉的小腿外侧，安静安全的感觉在触点被抽象地放大。

夕夜接下去的动作也不自觉变得缓慢轻柔，桌面之上颜泽并没有尽心尽力刻意去做一个温柔体贴的完美女友，还像和新凉是朋友那时一般大大咧咧，可夕夜知道，桌面之下才是真的世界，那里的一切都被她美化过度，定义为幸福。

“待会儿吃完晚饭去哪儿？”季霄问。

“就不四人一起活动了，新凉陪我回家看看爸妈。”

接着季霄转过头问夕夜：“马上就回寝室还是散散步？”

“我带你去个地方。”女生眨眨眼。

是高中校园附近的一家咖啡馆，露台的最外缘有个与世隔绝般的座位。

身后靠墙，最多只能并肩坐下两个人，离护栏的距离刚巧适合支起腿。

除了极远处两幢小高层外，面前几乎没有高楼，视野开阔。

地铁线到此处已经走上地面。站台的顶棚是波浪形的曲面，像在黑色大海里涌起的沉静却庞大的波澜。

地铁线与咖啡馆所处的楼房之间平行有宽阔的马路，深绿色的行道树在夜色中只剩下恍惚的影子，有些局部被灯光照亮，形成碧绿的荧光小圆斑。

放眼望去，所有的树都遗失了原本鲜明的形状，只留绿的特质，那种绿沁人心脾。

铁路横亘在稍远一点的视界中。这是个道口，被地铁遮挡住了，但是每隔一段时间就能听见“行人车辆请注意，火车就要来了……”的广播和丁丁当当的警报声。

如果正巧赶上警报声和地铁穿行引起的呼啸声重合，能感受到清凉的席卷而来的强大气流。

头顶是无限广阔的深蓝色天空。

“从高二起，我就喜欢一个人来这里，坐在这样的地方，周围很安静，仿佛全世界只剩我一个人。连颜泽也不知道这里……”

余下的话没有说出口，这处所在夕夜心目中象征归属，她曾无数次地想，如果将来找到挚爱，如果到那时这咖啡馆还存在，一定要带爱人来，坐在这里，让他看见自己所遇的最美好的风景。

季霄心里突然难受：“你是不是一直很孤独？”

“现在就不是……这段时间都不是……”你在我身边时都不是。

停顿许久她才继续说道：“……孤独也没什么可怕，可怕的是享受孤独。不知为什么我有种自我隔离、追求孤独的倾向。可能是受我妈妈潜移默化的影响，真讽刺，直到现在我才知道她的‘与世隔绝’是被迫的。”

朝远方无限延伸的街灯使垂直于铁轨的路显得神秘而漫长，如同泛黄的羊皮纸卷上浮现出密布的咒文。彼此间溢满了沉默，但这沉默似乎具有别样的张力，使间距不远不近在恰到好处的临界达到平衡。

女生转头看向男生的侧脸，棱角分明，光线从耳根至鼻尖柔和地渐变，暖暖的街灯将他深邃的眼睛打亮，一瞬间使人恍然忘了时间刻度，误以为他仍是那个制服白衬衫袖子卷至手肘的十七岁少年，融混着与年龄相符的青涩莽撞和与年龄不符的沉默寡言。

“亚弥说，我冷漠又自私，和我在一起感到孤独无助。她觉得颜泽当初和我分手也是这个原因。”

不过两句话，便使人周身被凉意浸没。

像汹涌起伏的海面在风声止息的刹那冷漠地恢复平静，不再泛起一圈涟漪。

女生转回头朝向前方。

“你和亚弥又闹别扭了？”

“她小心眼，总翻我手机，怀疑我和你关系暧昧。害我现在接你电话都不得不躲着她。”

夕夜沉默良久。

“那你把我的号码从手机里删掉吧，这样不容易被亚弥看出来，以后除非你联系我，否则我也不随便给你打电话了。”

“……也没这个必要。”

“虽然我们真的没什么需要避嫌，但我不希望因为我的原因，让亚弥感到不安，使你们不愉快。”

季霄低下头弯一弯嘴角：“你是个外冷内热的人，很善良，总是替别人考虑。我知道你总有一天会接受自己真正的家人。”

[六]

无论对谁而言，要接受自己的人生是个巨大的谎言，都绝非易事。

用了十八年去适应凄苦，刚开始觉得麻木这一切又遭到颠覆。

夕夜一直反复回味季霄的话，什么叫做真正的家人？

她发现自己活到这个年纪，几乎没有什么事是如愿的，面对玩弄她于股掌的命运，她总是逆来顺受的。

一想到这里她就非常悲愤，悲愤得失去理智，季霄是置身事外的旁观者，凭什么来判断什么是对什么是错？凭什么来定义什么是自己真正的家人？

母亲——现在是不是改称“那个女人”更加合适——的面容不断浮向眼前，虽然知道真相极有可能就是颜泽和黎静颖所猜测的那样，却对理应恨的人恨不起来，对理应爱的人也爱不起来。

第二次见面时，向黎静颖要来了亲生父母的照片。

他们面带那么温和的笑容，看起来却那么陌生，好像悬浮在遥远的空中。他们甚至无法像颜泽的父母那样在自己心里开拓一块空间落脚。

从听来的讲述中不难判断出一个走失了女儿的家庭支离破碎到何种程度，可无论如何也无法唤起夕夜心中的同情。

——我知道你总有一天会接受自己真正的家人。

季霄的话回响在耳畔，夕夜也不明白自己被什么突然激怒了。

“说到女儿的话……你不也是吗？”

“欸？”静颖被打断后微微怔住。

“你不也是他们的女儿吗？为什么不全心全意爱你而总想着我？想着我却并没有拿出任何实际行动来找我，只是以哀悼死者的方式缅怀我，这算什么？把自己的孩子弄丢的父母难道就没有责任么？为什么一味地迁怒于把孩子带走养大的人？明明值得爱护的女儿还有一个，却给她争吵不休伤心不已的生活，他们根本就……不配为人父母。”

静颖的脸忽然失去神采，哑口无言，视线落在一侧地面上，瞳孔缓慢地移动，仿佛正竭尽全力搜索逻辑上能够成立的反驳辞。

“就算没有发生那件事，这个家也未必会更幸福。我有点庆幸，不用在未成年时融入那种家庭。”

“……我知道你一时很难接受……”

夕夜干脆地摇摇头：“我不会去做亲子鉴定，也不会去见你父母，我不在乎自己是从哪儿来的，也不想到别处去。我的家人……是你们口中的诱拐犯，是收养过我的顾家和颜家的养父母，是顾鸢和颜泽。不是你们。对不起。”说着起身离开。

初中时的颜泽在超市货架前抬起头看向自己，笑容中没有半点阴霾：“好巧，你也喜欢啊。那……让给你好了。”

这个女生后来让自己伤了心。

可也许是因为时隔太久，若有人问起怎么伤的心，已经想不起究竟她做错了什么。和自己喜欢的男孩恋爱？嫉妒自己？抢了自己风头？把这些“罪状”一一列出，好像根本不足以让听故事的人信服。

她是多么狡猾恶毒的女孩！可为什么找不出论据。

原来你一直把她当作家人。

袒露太多，付出太多，信任太多，孤注一掷般地，把她当作家人，才会被轻微辜负就恨之入骨。

也许是因为上次聚会时气氛还不错，双方都不计前嫌。

夕夜开始怀念颜泽的好，没过几天，颜泽就正好来了电话，说的是怀疑新凉有二心。

夕夜有点懵了，站在颜泽的角度，她怎么会觉得和自己的关系已经恢复到能谈论这种话题的程度？但颜泽似乎一向如此，典型双子座个性，情绪变化很快。

“我和新凉有一次逛街时碰见过她，一看苗头就不对。是个长得妖里妖气的老女人，你能想象吧……就是妆超浓，穿衣服走性感路线的那种。新凉跟她非常熟，在总是需要合作的两个部门。她居然当着我的面和新凉打情骂俏哦！好像我对她一点构不成威胁似的！气死人了！”

大致了解了，夕夜预感对话不会太快结束，把座机搬到床边挑了个合适的姿势躺着问：“很难想象新凉会喜欢那种型……不过，虽说新凉现在职位还低，但无人不知他是公司少东，将来公司是他的，因此盯上他的女人肯定很多……你现在打算怎么办呢？”

“我去新凉的公司外蹲守，跟踪过那个女人，现在已经知道她家的地址，还知道她自己是有男朋友的。你说我要不要直接去找她男友谈？让他看好自己女人。”

“千万别这么做。小泽，我们都是和你从小一起长大的，在我们眼里，你一直开朗爽利，习惯你有点小女生的任性，但根本接受不了你变得那么‘洒狗血’，跟踪、摊牌、像四十岁怨妇一样神经质，连我也接受不了，更不要提新凉知道了会怎么想。”

颜泽沉默半晌，心里也泛起一丝苦涩：“夕夜，我和新凉回不去了。”

夕夜没想到她冒出如此悲观的一句话，讶异得瞪大眼睛。

“高中时，我们属于一个人际圈，在这个小集体里，我比较活跃出众，是核心人物，新凉能感觉到我的优点和重要性，我们天天在一起。可现在我不知道怎样才能让他每天时不时想起我。我有我的人际圈，他有他的人际圈，在他的圈子里有那个圈子的核心人物，那些女孩子或聪明或漂亮，圈子里的其他人都公认她们最好，整天议论她们、讨她们欢心，时间长了，新凉自然也会觉得她们确实好。我不知道怎样扭转自己在他眼里越来越没有吸引力。”

不是不明白，现实总这样无奈。

小说里再多巧合、奇迹、峰回路转、绳锯木断、情比金坚、愿力无边，但一万次荧幕上的相拥热吻也换不来一个亲身经历的团圆，现实中只能一寸一寸输给时间，无力回天。

颜泽敏感，看得透彻，她的担忧也是大部分女生的担忧。

但令夕夜不能理解的是，她的眼里几乎从来没有真善美，或者说，别人眼里的真善美在她看来都是惺惺作态。夕夜看过她的日记，日记中每句话都在为自己的小聪明沾沾自喜孤芳自赏，透着对全世界的不满。

“说什么傻话。新凉和你在一起这么久了，怎么会看不到你的好……”夕夜安慰着她，突然心生困惑，诧异在无忧无虑环境下长大的颜泽何苦这么为赋新词强说愁。

对颜泽的话，她也是认同的，但她觉得要反过来——换她对颜泽吐露这种无奈——才正常，一时觉得心里好不舒服，就打住话头不说了。

颜泽七分确实因缺乏安全感而惶惶，三分还是想拿“深刻哲思”在昔日闺蜜面前显摆，谁知夕夜不顺她的意，既没义愤填膺跟着附和也没“时隔三秋依然刮目相看”。她并没发现是夕夜不配合，只以为夕夜情商还和高中时一样低，不能理解自己前番话的内涵，心中感慨果然和夕夜还是没有共同语言，索然寡味，决定下次还是和静颖聊女生话题。

想起静颖，又记起对夕夜身世的疑问，正好转了话题，打探“认亲”结果。

夕夜愈发觉得恶心，含糊其辞地敷衍过去，心里最后一丝光亮也消失了。

过去是回不去的，曾经失去的一切都无法再挽回。

——如果太阳此刻熄灭光芒，地球上的人要八分钟之后才知道。

即使八分钟之后终于懂得珍惜，也终究重演不了之前失去的温暖。

人生只有一个十七岁，快乐和忧伤也都只有一次，后来的后来才明白，比忧伤更可怕的是成人之后的理性与麻木，日复一日随着社会的齿轮被动旋转，再亲密的朋友也会有保留，再长久的爱人也会有隔阂，可悲的是，你已经成熟到能够清醒地看透这一切。

夕夜停止晃动手中的茶水，看茶叶沉向杯底，把听筒换到另一侧，用不带一点温度的声音反问："颜泽，你怎么记得我妈妈留给我的那条项链？"

在高二那年因坠楼而失忆的你，怎么知道那是初中时我妈妈留给我的遗物？

电话那头是骤然的沉默。

[七]

如果一切都变得透明，连最后一条道屏障也轰然倒塌……

那么……

[八]

挂断电话的瞬间，夕夜想起第二天是颜泽的生日，她知道颜泽这个生日不会过得多么愉快，但她始料未及，次日一早，她就接到黎静颖的电话约她去咖啡馆见面，开口第一句话是——

“姐，生日快乐。”

完全虚假的母亲、家庭、生日。

想为坎坷身世找一个根据，不知该皈依哪种信仰。

在星座书上看见诞生日11月3号的命理，生而清高，注定孤独。

没有出路，只能相信宿命这种东西。

却连宿命都是虚假的。

突然感到所有委屈与怨念淤堵于胸口，引起了神经性阵痛。

“我是6月9号出生的？”

黎静颖轻轻把户籍本转向正对夕夜的方向，指“黎颖”一行给她看：“爸爸忍不住对你的思念，把我的名字从‘黎静’改成‘黎静颖’，但即使更换过户籍页，你也失踪十年以上，爸妈也从未起过将你从户籍上删去的念头。”女生说着，逐渐哽咽，“所有人都觉得妈妈疯了，直到我找到你才理解她不是疯，是以一颗母亲的心坚信女儿存活于世。她一直说教过你记住家的地址，你总有一天会回家来。迎世博的时候，我们家那一带拆迁，改建成绿地公园，妈妈竟然整日整夜在大雪天坐在废墟中等你回家，如果不是我和爸爸及时找到她，也许……”

夕夜看见户籍本上同样没有变更的家庭地址，不禁全身战栗。

花园路11弄3号。

“没有人理解她，没有人相信她，没有人相信一个不满四岁的小孩会记得家庭住址，被诱拐后会自己回家。可是妈妈，是因为这个信念才活着……”

尘眠了十八年的记忆一点一滴在脑海中恢复清晰。

被带到陌生地方的自己整日哭闹，吵着要回家，要妈妈。

她反复说自己家住在11弄3号，因为妈妈叮嘱过要牢记。

但后来自称是母亲的那个女人用反复又反复的谎言篡改了这记忆。

并不是出生于11月3号，而是住在11弄3号。

十八年过去，即使十八年失望，妈妈也坚信女儿记得，她会回家。

她的确是记得的。

她坐在妹妹对面，眼里蓄满泪水，数字11和3在眼前摇曳模糊，但心里有什么东西却终于尘埃落定。

"……姐，今天是妈妈生你的日子，我求你去看看她。如果不能原谅他们为人父母的失职，就当是行善，去回应一个母亲执着了十八年的信念。"

不可能铁石心肠。

夕夜抬起眼睑的一瞬，泪水如同断线的项链崩落，咽喉收紧到无法言语，只是重重地点头。

她在病榻前见到母亲，虽然已有心理准备，但眼前母亲的形容还是让她震惊。

只不过五十岁出头，却已经白发苍苍，样貌比实际年龄衰老十年。她的面前摊了一床的旧相册，深陷其中想掘出能够重温曾经的蛛丝马迹，以致于抬起眼睑时神色恍惚，灯光映在她的瞳孔里慌乱地摆。

令人震惊的不止于此。

什么超自然的愿力无边，什么菩萨慈悲合掌默念，什么奇迹，什么神意，也敌不过心有灵犀。紧紧相连的血脉，使这位母亲——

在女儿叫她一声“妈妈”之前，

还没有人向她解释来者何人之前，

在眼前女孩眉头刚刚蹙起一点欲哭的瞬间，

就已经喊出“小颖”，紧紧抱住女孩嚎啕大哭起来。

辗转十八年，如母亲所愿，

女儿记起住址，

回家了。

不再像落叶飘零……

第八话

【The Weather With You】

我们曾经共度的时光，我们曾经经历的晴雨，都永远无法再现，

如同太阳熄灭光芒后那最后八分钟的温暖一去不返。

而梦里出现的人，想念却已不能再见。

[一]

夕夜过了很久才发现静颖家是多么奢华。

整个家由三幢四层的欧式连体别墅构成，听说整个别墅区占地广阔拥有独立的高尔夫球场和贵族学校，但无论从哪个窗户望出去都看不见别的建筑物，唯有花园、湖泊、草场与辽阔青空。由于面积太大，忙着修剪花枝的园丁都是开着公园里常见的电瓶车往来。

主楼的正厅大得像高中的室内体育馆。客厅里液晶电视占了整面墙壁，看起来如同电影院。经过一间以粉色和白色为主色调的房间，猜测是静颖的卧室，却被告知是她的更衣室。

连做梦也不曾见过。

有点不可置信。

先前只是有点觉出这是个富裕人家，但静颖的穿着打扮却没有给人这种印象。她全身没有一处亮出CHANEL、CONSTANTIN之类的大牌，仅止于素雅、合身、得体。

面对远远出乎意料的家庭环境，夕夜心情陡然忐忑，距离感倍增。

如果初次见面的亲生父母是普通工薪阶层，哪怕是农民或城市贫民，也会比现在感觉亲近得多。

被父亲挽留吃团圆饭时，局促地搓着手推辞，谎称有事。但终究经不住静颖软磨硬泡答应庆祝完生日再回校。

“其实本该为你开个party。”静颖不无遗憾地说。

“高中时我们班的传统是每个月班聚一次，为本月生日的同学集体庆祝。除此之外，我从没有生日的概念，也没有人为我庆祝，所以无所谓的。能和家人相聚我已经很快乐。”

父亲关心地问：“听小静说你已经大四，在忙毕业？”

“嗯。”

“找到合适的职位了吗？要不要……帮你安排？”

“不用不用，已经找到了。”未经深思脱口而出。

过后也有些懊恼。

假如当时向父亲求助，肯定不用再为工作的问题担忧。

因为什么心理？

瞬间体会出自己的处境与这个家庭的不协调。身处豪宅没有丝毫幸福感，有的只是拘束感。不想从陌生的父母那里获得物质援助，不愿给刚刚复得的亲情蒙上市侩色彩。

显得有点可怜的傲气。自尊心。

到了饭点，家里佣人过来引领父女三人去餐厅。夕夜诧异母亲为什么不同行，转念一想，也许病人有另外一套饮食习惯，也许因为身体虚弱只能接受输液。因此没多问。一行人从二楼的玄廊穿过去进了西侧的别墅。

夕夜略略感慨过，家太大了，吃顿饭还要去别的楼，也挺不方便。谁知上了西侧楼的四层，房间的风格突然变得家常。

夕夜正满腹狐疑，就见母亲迎了出来。父亲解释说这层楼的装潢是按从前的家布置的，今天的菜都是母亲亲自下厨做的。一时夕夜感动得无以复加。

先前的疏离感已减了大半，取而代之的是对未来的迷惘。该与亲生父母如何相处？是像正常的儿女一样在跟前撒娇索取，还是依然独立自处仅与他们维持情感联系。而对于已故的养母，夕夜更不知该怀有何种情绪。

[二]

周二，夕夜去报社面试，纯属碰碰运气。可运气差到极点，不仅自觉没什么希望，而且回校途中换公交车，下车时一个不小心扭了脚，把鞋跟也折断了。

女生一边以别扭的姿势一瘸一拐顺着马路往前走，一边想着不如先随便打个工维持生计，等明年报考公务员。就在刚要跳上另一辆公交车时，夕夜将迈上去的那条扭伤的腿又收了回来，退开几步眯起眼睛。

不远处，从拉面店里走出来的人确实是季霄。身边还有别的男生，似乎是和朋友一起来的。

夕夜顾不了那么多，急忙喊住他。待季霄转过头看见她却没有露出愉悦的表情，夕夜才辨清跟在后面最后一个出门的是亚弥。

夕夜微微怔住。

季霄发现她站立的姿势有些不对劲，和身后的亚弥打声招呼，亚弥就和朋友道别了跟着他往夕夜这边走来。

“鞋坏了？”

“还把脚扭了呢。”女生苦笑一下。

亚弥看季霄作势要上前搀扶，虽然心里不快，还是抢先一步扶住夕夜："回学校吗？我也回，正好和你一起。"

没等夕夜迈步，男生就发话说："我打车送你们俩吧。"

"不用了，我们自己打车就行。"亚弥边说边伸手拦车。

"我有话要对夕夜说。"

季霄说这话时也没有深思。并没想到女友会联想到其中的潜台词：送不送你无所谓，我是要和夕夜说话才与你们同行的，和你没关系。

一句话使亚弥难以置信地蹙眉回头。

夕夜被这突然急转直下的发展刺激得脑后发麻。

季霄压根没注意到两个女生的神情变化，拉开停在面前的出租车门。

亚弥松开夕夜的手肘，后退两步，示意了一下她还没走远的朋友们："我还是和他们一起去K歌。你们聊吧。"

季霄懵头懵脑地点头："那你路上注意安全，结束后给我电话。"

夕夜上了车说："亚弥不高兴了。"

"唔？没有啊，她就是贪玩。"

女生懒得跟这低情商的家伙继续解释："你要跟我说什么？"

"新凉可能会和颜泽分手。"

"什么？"几乎是惊呼出声。

季霄诧异地回头看她一眼："其实也没那么值得震惊吧。高中时全班四十七人，'班对'有十二对，谈恋爱的都超过半数了，老师也不管……放任自流地发展到现在为止，虽然没什么外部阻力但也全都分了，就只剩新凉颜泽这么一对……有六年多了吧。回想起来确实挺遗憾，不过看多了分手也不觉得太出人意料。"

“到底出了什么事？为什么非要闹到这种地步？”

男生迟疑了几秒，叹一口气：“你有很久没见过颜泽了吧？”

“……快一个月了，还是上次四个人一起吃饭时见的。怎么了？”

“……她跑去整容了。”

“哈啊？不……不是吧？那……整容失败了？”

“失败倒是没失败，只是不像她了。新凉有点接受不了突然变得面目全非的一张脸，连着好几天把我拖出去陪他喝酒。”

“面目全非……不至于吧……究竟……整成什么样子了？”

“你自己去她校内相册看看就知道了，走在街上遇见也肯定认不出来，告诉你她是颜泽你也不会相信，与其说是颜泽，不如说是顾夕夜的孪生姐妹，除了眼睛不像，其他哪儿都是复刻版的。实在是……感觉荒唐得离谱……”

季霄又转而说新凉的反应，但夕夜只觉得脑袋嗡嗡作响，什么也听不见，陷进一种难以描述的愤怒。

[三]

到了周末，父亲先来过电话说派车来接夕夜回家陪陪母亲，夕夜答应了，但没想到来接自己的是这么夸张的劳斯莱斯。上次坐的是静颖自己开的一款普通的商务车。

停在寒酸的宿舍区，引得进进出出的同学都好奇地驻足围观。

司机看见她出了宿舍楼，连忙下车为她开门：“大小姐，请上车。”

女生脸上一阵热，心里吐着槽：“车像婚车……司机像黑手党……还‘大小姐’……要不要这么夸张啊！”压低了头避开围观的视线，迅速躲进车里。

到家后先进房间探望了母亲，但奇怪没见到静颖，于是问起她怎么周末没回家。

母亲说：“和朋友打猎去了，一会儿就回来。本来她想等你一起去玩，但朋友催得紧，就打算下次再带你去。”母女俩家长里短地聊了一会儿，大部分时间是母亲询问夕夜的成长过程，夕夜把不开心的经历都隐瞒了。

过了不久，佣人来敲门，说：“先生请大小姐去一趟书房。”

夕夜暂且别过母亲，跟着穿行了半个家来到书房。父亲见她打量书架区的书时露出如痴如醉的羡慕与惊讶，笑着说：“喜欢什么书，可以随便挑，带回去看。”

夕夜回过神，意识到自己刚才的神情大概颇像刘姥姥进大观园，不好意思地笑笑：“学校也有图书馆的。”

“你和小静都静得下心，爱看书，这点像你们妈妈。挺好的……”父亲顿了顿，“……那个人把你从父母身边带走，按说是罪大恶极。不过好在她也没有疏于对你的教育，把你培养得这么优秀……”

“爸爸，求您一件事，不要提我养母。我也许没法像你们那样恨她，再说，她已经去世很久了。”

父亲点头：“你说得对，不提她了，说正事。我让人稍微调查了一下你的情况，你不会怪爸爸吧？毕竟，每个做父母的，都想了解自己的孩子。”见夕夜没有抗议，继续说下去，“你们系主任说这一届就你还没有去向，既没有考研、留学，也没有和任何公司签三方合同。”

谎言被戳穿了，夕夜脸上红一阵白一阵，答不上话。

“我是投资公司的董事长，在公司给你安排一个职位是很容易的。关键是，我想你专业不对口，可能对这类工作不感兴趣。”

女生急忙点点头。

“你是很优秀的，之所以没决定去向，我觉得应该是还在‘寻找自我’吧？谁都有这个阶段，决定不了哪条路适合自己，哪种事业值得自己一生奋斗。你是个成年人，而且独立得早，我和你妈妈都认为不应该干涉你。你喜欢什么工作，你自己决定。但是作为父母也自然会希望为你创造良好的生活环境、提供良好的生活保障。这是一张无限额的金卡，你不要急着拒绝。我们理解你，给你充分的自由，任由你住在外面、自主安排生活，你也要理解父母的心。孝顺不等于拒绝关怀，如果孩子不懂得好好照顾自己，反而会让父母操心、伤心。”

夕夜盯着信用卡迟疑半晌，最后接过来，不知该说什么。自觉在这个年纪本应该开始回报父母，却能力不足反而需要父母接济。

本是自尊心特强的人，但没有拒绝的实力，便气短三分。

看出女生内心的抑郁，父亲站起来走到她身边，边牵着她的手往门外走，边说：“你是我们的女儿，有着优秀的基因，这点在你离家成长的过程中已经得到证明。因为你是优秀的孩子，所以我才想给你不一样的起点，让你的能力能够最大程度地发挥，证明你的价值。我和你妈妈都不是无条件溺爱孩子的人，如果你是好吃懒做不可救药的孩子，我们反而要历练打磨你。你能理解吗？”

夕夜点着头：“我明白了。”

正值此时，佣人来跟前汇报：“小姐回来了。”

父亲牵着夕夜疾走向正厅。

静颖少见地笑脸全开，脸颊红扑扑地跑进门："爸爸！我今天收获比新凉哥哥大！厉害吧！"

夕夜听见新凉的名字没来由地又惊又慌，目光急急地去门口搜寻，熟悉的男生落在静颖身后几步，表情有点拘谨地朝静颖父亲打招呼："伯父您好。"下一秒，看见了被伯父牵着的夕夜，猛地把眼睛瞪得浑圆："欸？你怎么在这里？"

"你也认识夕夜啊？"静颖转头看回新凉，"她是我亲姐姐。"

男生的神经这才松弛下来，露出少年时那种没心没肺的阳光笑容："我们是高中同学啊，当然认识啦。吓我一跳。话说回来，怎么会是亲姐姐？"

"小时候走丢了，才被找回来。"夕夜抢在静颖之前说。

静颖微怔，但马上反应过来，夕夜不愿意自己说出她养母是诱拐犯，刻意挑了避重就轻的说法。

静颖父亲招呼新凉："你晚上留下来吃饭吧。跟你爸打个电话说一声。"

新凉飞快地点头："不用跟他说，他晚上有应酬，不会管我。"

换夕夜有点诧异了，看新凉并不像为了颜泽颓废到酗酒的地步，周末还跟邻居家的小姑娘一起出去打猎。

难道季霄的消息有误？

还是新凉在强颜欢笑？

她死死盯住男生，想从他的举手投足中搜刮出喜怒哀乐的线索，恨自己不能读心。

[四]

吃过晚饭，母亲留夕夜在家里住一夜，夕夜答应下来，又说习惯自己的洗漱用品和睡衣，想回去拿。新凉自告奋勇说要开车送她。家长们便任由他们去了。

“你为什么吓一跳？”上了车，夕夜故意问。

男生有点不好意思地笑起来。

“我就那么像破坏别人家庭的第三者？”以玩笑的口吻穷追猛打。

“谁说了？谁那么说了？我帮你教训他！谁敢埋汰我们校花？”

“我们校花是季霄好吗？”

“……我错了，你是第二校花。”

女生略略犹豫，觉得还是不该这样隔岸观火地跟他插科打诨：“……新凉，季霄跟我说了颜泽的事……”

男生愣了须臾，才敛起笑容，眼睛注视前方专心开车：“我实在对颜泽没辙了。她小心眼，敏感易怒，神经质疑神疑鬼，没节制乱花钱……这些都不是什么大毛病，该包容的我不会斤斤计较，现在这让我怎么办？我喜欢的那个颜泽哪儿去了？干吗非塞给我一个山寨版的顾夕夜啊？你们根本就是两种女孩，比什么比啊！有什么可比性啊？这么多年都揪着不放有意思么？我要觉着顾夕夜比你好干吗不找顾夕夜干吗找你啊！”

自觉这话容易让人误解，又转头朝向夕夜补充说明道：“我不是说你不好。我只是说她也没比你差很多，她有她自己的长处，整天自卑自虐地折腾这些事真没必要。”

“她就是比我差多了。”夕夜语气淡淡的。

男生纳闷地转过头来看她一眼。

“我会因为吃醋把别的女生的课题注销了让人毕不了业吗？我做得到那个地步吗？”

新凉手心冒汗：“你……怎么知道？”

“高二的时候，裴嘉莹……”夕夜观察他的神色，知道他也没忘那件事。

裴嘉莹突然发现自己高一就完成的课题从系统里离奇消失了，不仅如此，连纸质版存档都杳无踪迹。按学校规定，每个学生高中阶段必须完成两个课题，通过学生三院答辩，否则不能毕业。

那段时间，新凉异常积极地替裴嘉莹补课题，又整天帮她小忙，可偏偏裴嘉莹不领情，又是个自我感觉好到爆棚的角儿，以为新凉对她有意思。有一天课间在教室里当众大声拒绝新凉、向季霄告白，以为这样就能彰显自己的魅力，结果被季霄果断拒绝。闹得不好收场，两个男生见面都尴尬，成为轰动一时的滑稽又狗血的事件。

不过大多数同学只是认为裴嘉莹自作多情，并没有细想新凉为什么要对她献殷勤。

“你也不可能坏到去害人，那么积极的原因，除了帮颜泽就没有其他合理解释了。”夕夜转头看向他棱角分明的侧脸，“如果不替裴嘉莹及时补上课题，她诉苦伸冤要求学生会追究下去，说不定会查出是颜泽捣的鬼。当时你是这样想的吧？”

男生摸着下巴：“嗯。”接着转过头来看女生。

面对对方迷茫的面孔和期待答案的眼神，夕夜思考了一下说话的方式：“季霄一定也劝了你，喜欢颜泽又不是因为她的外表，变成什么样不要太介意。其实你潜意识也是希望多一些人可以来劝阻你和颜泽分手。可是我不会这么做。”

男生露出困扰的表情，思考片刻：“你是为了自己，还是为了静颖？”

“你说什么我听不懂。”

“前段时间，颜泽跟我说你喜欢的人是我，我一点也不相信。在我印象里，顾夕夜是不食人间烟火的，是没有儿女情长的，即使在十六七岁的时候也从未表现出对任何异性有任何兴趣。像高塔上冷傲的公主，受人仰望的那种。但如果她说的不是事实，我现在真的理解不了，为什么你会希望颜泽和我分手。”

为什么要对新凉说这些陈年旧事？

和新凉交往了那么久，你知道新凉不可能离开自己，才旧事重提，不过是为了享受片刻的胜利者的喜悦，为了在背地偷偷嘲笑。

即便讨厌你，即便嫉妒你，你对我说的秘密我也一直保持缄默。

你和我之间的话题，应该永远属于曾经亲密的闺蜜。我们曾经以友情与诚意为凭交换的心事，怎么能变成让别人一笑而过的八卦？

一而再，再而三地背叛，不可饶恕。

“为了你。”夕夜的视线朝向右侧窗外，车恰巧开到高中校园所在的路段。

远处那片熟悉的深红色建筑群蕴含又消解了自己所有的热情、感动与少女情怀，一时让她内心一阵绞痛。

“我高中时的确喜欢过你。我是冷傲孤僻不善于交际，可这并不代表我就没有心。在你们少年少女风花雪月的时候，我得认真学习否则没有出路。不像你们一个个是官二代、富二代衣食无忧，我担心将来不能自力更生。就算是现在，我也觉得能靠自己的努力生存就靠自己，不想依赖家庭。可是，这不意味着我没感情，我就活该遭人嫉妒被人取笑……颜泽不用功成绩差，你就陪她逛街帮她补习，而她撬我的柜子撕我的信件就是正当的？我理智地建议你离开颜泽，就好像我做了什么十恶不赦的事似的，你就理解不了了？”

车窗外，校园迅速向后倒卷，像个有寓意的道别，深深地触痛了人心。

“你把车停下。”

新凉靠边停住车，转头看见夕夜下了车，便也跟下车。

女生面朝学校的方向站定，久久地沉默。

“夕夜，对不起……关于你，很多事我不了解……”

“不要说对不起。你已经伤害不到我了。曾经我一心为你着想，就像你一心为颜泽着想。我不想你因为任何人而悲伤难过，就像你不想颜泽因为任何事而悲伤难过。你本应该是最能理解我的人。总有一天，一切都会成为过往。这一生很漫长，可是这一生中最好最天真的时光却转瞬即逝，不任你挽留。”

女生在沉沉夜幕中回过头看向自己，新凉突然发现她穿的天蓝色长裙是和颜泽、萧卓安一模一样的那条。洗得发白，也只有她因为贫寒还在穿高中时的裙子。

有着同样长裙的卓安已经离世五年，有着同样长裙的颜泽也已经不再是当年的颜泽。

那三个曾经最亲密的好朋友，如今死的死，决裂的决裂。

许多年后才得知，凝视着某个人的同时也错过了某个人，失去的难以再续。在追求幸福的路上，人已经变得越来越孤独。

学生时代的幸福感大多是在时过境迁后才被深切地感受到——

我们曾经共度的时光，

我们曾经经历的晴雨，

都永远无法再现，

如同太阳熄灭光芒后那最后八分钟的温暖一去不返。

[五]

晚上回到家，按父亲的安排本应住客房，但静颖吵着闹着要夕夜住她卧室："高中时我好朋友过来都是住我房间，床可以打开变成两张的。这样可以夜聊。"

家长不管她们，夕夜当然没意见。

洗过澡各自睡下，夕夜想起刚才新凉说的"你是为了自己，还是为了静颖"，好奇静颖与新凉的关系，便直截了当问起。

"我和新凉？要说没什么也不可能。他现在有颜泽，本来不会多看我一眼。但是因为他爸的公司要上市，想争取我爸公司的投资，所以他不得不抽空来'增进感情'。跟我在一起对他来说纯属事业，反正我也不相信爱情，双方都是玩玩的。"

"这……其实静颖，你不要这么敏感，我所认识的贺新凉并不是那种市侩的人。"

"人都是会变的。"

黑暗中，听出静颖的声音里透着悲伤，夕夜暗忖她也许受过什么伤害。

没想到静颖接着说："你是家里人，我也没什么好隐瞒的。我和一个男孩从小就很要好，小学、初中、高中都在一起。我很喜欢他。但我高二时被烟花炸伤眼睛和脸，他从此就和我疏远了。所有男生都是这样，喜欢的只是美貌，就算是日久生情难看的也不觉得好看，也总有一天他清醒过来，会接受公认的标准，觉得你变难看了。”

“……现在，眼睛和脸都看不出来啊。”

“以我们家这种经济条件怎么可能放任我变残废不管。脸很快就通过整形修复手术去除了疤痕，眼睛现在戴的是特别订制的隐形眼镜，但摘下眼镜，还是半个睁眼瞎，治不好了。其实我很庆幸有那次事故，既让我看清了世态炎凉，也让我终于得到父母全心全意的关心爱护。”

夕夜在同情之余突然想起一个关键问题：“……静颖，这些事你有没有对颜泽说过？”

“说过。起初我有很长一段时间真心诚意把她当朋友。可是后来发现她心胸狭窄心机很重，就对她没那么推心置腹了。和她保持距离倒不觉得她坏，她那些缺点通常可以掩饰得很好，只会暴露在身边最亲密的人面前，一旦暴露就破罐破摔彻底肆无忌惮地伤害最亲密的人。做她的闺蜜或男友真是挺倒霉的。”

自己和颜泽相识十一年，仍在兜兜转转和她纠结不息，当局者迷，还没有静颖这泛泛之交看得透彻，几句话便点到人心。

破罐破摔肆无忌惮地伤害最亲密的人。

如今，最亲密的人只剩下一个贺新凉。

这个男生，曾经的中考理科状元，不死读书爱耍小聪明，校运动会的获奖种子选手，大夏天喜欢翻转龙头猛灌自来水，偶尔还为了兄弟和别班男生干上一架，制服白衬衫被他穿得又帅气又痞气，笑起来灿烂得阳光都不敌……但都是曾经。

现在他只能手足无措地在学校旁的街道上，因颜泽的缘故受着连带指责，再没有当年那种万事不惧诸事随意的笑脸，泪光在眼里随着过往车灯忽明忽暗地闪。

只有一句话——

是我错了，都是我的错。

其实他真的不明白，最大的错在于他不幸成为了颜泽心目中最亲密的人。

但尽管他不明白错在哪里，你还是不得不从那一刻起原谅了他，因为你真怀念曾经那个浑身都是少年意气的大男孩。

[六]

虽然学校已经停课，也没有找到正式工作，夕夜在周一还是谎称有面试离开了父母家，甚至没在家吃早饭。

被司机送回宿舍区后，她转身目送加长轿车远去，并没有上楼，考虑到已经过了饭点，便步行去校外的农工商超市打算买包饼干填肚子。

夕夜跟在结款的长龙后面，无聊得眼睛四处扫，觉得前面的女生侧脸分外眼熟，深棕色自然微卷的长发扎成高马尾，露出白皙修长的颈和光洁的额头，有股干练泼辣的气势。

正一边打量一边搜肠刮肚地想在哪儿见过她，对方就转出了整张正脸，对上夕夜的眼神，使思路反而因慌乱断了。

以对方的眼神变化来看，她已经认出了夕夜，可奇怪的是那女生并不开口招呼，而是转过脸去和站在她前面的朋友说话。

“……XX和XXX前两天离婚你听说了吗？”说的是演艺圈八卦。

“真的啊？他们结婚时我就不看好。”

马尾辫女生轻蔑地哼一声：“抢朋友的男人，还过河拆桥，这种人能有什么好结果！”说着语速放慢，冷冷地瞥了夕夜一眼。

这一眼瞥得夕夜整条脊梁蹿过一阵燥热。

乔绮。

想起来了，她是亚弥的闺蜜。

“谁甩谁的啊？”身前的朋友并没觉察出乔绮在含沙射影。

乔绮干脆回过头直接看向夕夜：“当然是女的被甩了，因果报应嘛。有句话说……”一字一顿地，“多行不义必自毙。”

夕夜错愕地怔在原地，无言以对。

说不出一句“你误会了”。

说不出一句“我没有和亚弥抢季霄”。

不由得想起颜泽。

静颖不经意间将自己经历的感伤传递给她，形成了她心中的不安因素。

——所有男生都是这样，喜欢的只是美貌。

——就算是日久生情难看的也不觉得好看，也总有一天他清醒过来，会接受公认的标准，觉得你变难看了。

疑心新凉会离开自己，疑心新凉会移情别恋。

——在他的圈子里有那个圈子的核心人物，时间长了，新凉自然也会觉得她们确实好。

——我不知道怎样扭转自己在他眼里越来越没有吸引力。

哪怕并没有一个真正敌意鲜明的对手，

哪怕其他女生并没有与她争夺新凉的主观意愿，

——我和新凉回不去了。

误以为只要改变了外貌就能收复失地，最终却不是输给时间，而是输给自己。

这天晚上，夕夜做了一个梦。

回到高中的时候，全班女生在学校游泳馆上体育课，课后因为不想和同学争抢或共用淋浴位置，所以一个人落在最后，可等到进了更衣室却发现不仅同学已经走光，连自己储衣柜里的衣服也不见了。

夕夜裹上浴巾追到游泳池边的大落地窗前，窗外的女生们正排着队依次上一辆大巴，好像是校车。夕夜刚想喊住她们帮忙，却见站在队尾的颜泽转过身，手里抱着夕夜的外衣挑衅似的朝她挥了挥，而站在她前面的萧卓安这时回过头，只是置身事外地笑了笑。

夕夜又急又慌地反身绕过正门跑出体育馆，眼睁睁地看着汽车启动了，季节突然从夏季变成冬季，漫天遍地被厚厚的积雪覆盖。赤脚踩上去已感到寒入骨髓，更何况周身只裹着一条浴巾。

顾不了那么多，冥冥中并不知道这辆车要去哪里，只知道应该拼尽全力追上它。

足迹浅浅地印在雪地上，脚面一次次被雪没过。

身后突然由远及近地响起游泳馆管理员的喊声，死拉硬拽拖住她，说是不能这么衣不蔽体地在校园里行走，夕夜想解释衣服被恶作剧的同学偷走了却怎么也发不出声音，眼看汽车与自己的距离被拉开更远，这时又过来一群自管会的学生干部，也加入到义正辞严批评夕夜不该以这种状态在学校走动，合力要把她拉回游泳馆。

夕夜一手拽紧胸前的浴巾以免在挣扎中掉落，另一只手被老师学生几个人拖着往游泳馆方向移动，头还朝着汽车远离自己的方向……

醒来后还记得清晰，后车窗像个相框，颜泽的笑脸定格在正中央。

[七]

毕业典礼结束后，似乎时来运转。

夕夜在秦浅的引荐下，找到了一份广播电台的DJ工作，三个月试用期内工资不足千元，只够勉强维持日常开销，七月二十日学校要求所有毕业生必须搬出寝室，夕夜还没找到离电台近的出租房，焦急了没两天，季霄又及时伸出援手。

“如果你不介意，其实可以先搬到风间原来的房间过渡一下，等找到房子再搬出去，反正我也不会向你要房租，想住多久都行。”男生转头对吧台点单，“一杯拿铁。”又问夕夜，“你要什么？”

“我？”女生被问得一愣，“我不要。”

从节约开支的角度来看，20元一杯的咖啡绝对要戒掉。

男生回转头朝里面平淡地说道：“两杯拿铁。”没等女生抗议便一起付了账。

在这个瞬间，夕夜恍惚忆起高中时曾听颜泽抱怨说季霄抠门，为了两三块和出租车司机纠缠不息，现在看来想必又是颜泽在吹毛求疵。

“说起来，秦浅怎么知道你有做这类工作的天分？”

“谈不上什么天分，只不过自己有点兴趣。我和秦浅本来就是我大一时做广播剧认识的，合作过好几次，在论坛里很聊得来，一确认身份，发现对方竟然是同校的学姐。”

“还挺传奇的。”男生从吧台上取过两杯咖啡，递一杯给夕夜，示意她跟着自己出门去。

虽然先走到门口，但男生为她撑着门让到一边。

阵雨已经停了，路面依旧湿漉漉，稍远一点的几处凹陷低洼积着水。

夕夜迈过台阶后还是保持在干燥的屋檐下平移，回身提醒男生注意脚下，不经意瞄见咖啡馆门外的小黑板上颇文艺地用粉笔字写着一句：

梦里出现的人，

醒来就该去见他，

生活就是这么简单。

男生见她对着黑板发起了呆，也看过来。

“Les Amants du Pont-Neuf。”（注：电影《新桥恋人》。黑板上的语句是此片台词。）

“你也看过？”女生有点意外地回头。

“法语班的学生，这么经典的法国片怎么可能没看。”

夕夜呷一口咖啡，左手插在裤子口袋里，和季霄并肩站着，仰起头，看屋檐顺下水滴，无限高远的地方伸展出一张接近于白色的晴空。

她闭上眼深呼吸。

眼睑被阳光熨热，微微泛红。

多少虚虚实实的梦境在眼前闪回——

讨论辩论词时抬起头瞥见的季霄，办公室外照进来的阳光凝聚成一个小小的点，滚过他的眼镜金属边。

遭遇车祸后半昏迷状态下看见的新凉，街灯与霓虹融混着，变幻莫测的色彩飞速掠过他棱角分明的侧脸。

夕照的最后一缕光线湮没在放学后的喧嚣声中，三朵浓重的阴影斜斜地平摊在操场跑道的边缘，晚风往复穿梭，整个校园的路灯从路的尽头开始，一盏盏顺次亮起来，女生看向自己缓缓地说："呐，你们知道么？如果太阳此刻熄灭光芒，地球上的人要八分钟后才知道。"

梦里出现的人，想念却已不能再见。

第九话

【The Weather With You】

在我的眼里，天气没有好坏之分，

那些有特殊意义的全是因为曾经有你。

气象殊异，

可于我而言，你永远是你。

[一]

出租车在墓园大门口停下，往前的坡道夕夜顶着烈日步行，她眯着眼朝目的地望一望，意外地看见颜泽比自己先到，萧卓安的墓前已经摆了一大束百合。

与此同时，听见脚步声的颜泽回了头。

微怔一秒，颜泽苦笑起来：“我特地避开昨天的忌日没有和新凉一起来，就是免得碰见你，没想到……”

“你是怕我嘲笑你这张假脸，还是怕我揭穿你的伪善？”面对她这么一张精巧的脸，夕夜说不出客气的话。

“顾夕夜，你还没认清现在的状况么？你得宠的时代已经过去了。漂亮、好成绩、名牌大学，有什么用？工作是个临时工，还在频繁换男友，再过两年嫁不出去你这一辈子都是失败的。学生生涯结束后像你这种有社交障碍的人就一无是处了。我干吗怕你？下个月的今天我就要和新凉结婚了。如果你想来参加婚礼我倒无所谓，”颜泽挑了挑眉，一字一顿地说，“反正，我赢了你。”

为什么新凉最终会做出和她结婚的决定？

夕夜在瞬间感到整个人被吸进冰冷的漩涡，浑身颤抖着。

“颜泽，一直以来，周围所有人都说你我是挚友，哪怕像季霄这样略知我们之间芥蒂的人，也说什么‘闺蜜间总归是这样又爱又恨’，我就像被催眠了似的，真以为事实如此，并想尽一切办法从善意的角度去理解你我的矛盾。可我现在终于醒悟，被我当成最重要的朋友在乎的人，从来只有卓安。我们都喜欢的书，你根本看不懂，我们能聊的话题，你根本听不懂。你层次太低。如果不是卓安把你当朋友，我连话都跟你说不到一起，如果不是寄人篱下，我也不会忍着委屈迁就你。”

“我层次低？”颜泽涨红脸冷哼一声，“你看看现在你的穿着打扮有多寒酸吧。你说对了，我们不是朋友。如果不是卓安看你可怜非要带着你玩，我也不想跟你玩。”

夕夜听了她的反驳辞，突然冷静下来，过半晌，嘴角往上扬起，轻轻摇了摇头：“你以为你穿上名牌打扮入时就代表层次高么？”

颜泽见她的神情变得如此自信，莫名感到心虚。

“祭拜逝者……”夕夜缓然道，“最基本的礼节是身着庄重的服装，你呢？穿波西米亚花吊带裙。价值不菲又怎么样呢？你离了家，离了帮你熨衣服晒衣服的妈妈，再高档的名牌，变得这样皱皱巴巴、一股樟脑丸气味，也好不过地摊货。我劝你还是好好珍惜这些名牌衣服和首饰，因为这是你整个人最有价值的部分，也是唯一有价值的部分了。”

夕夜句句戳在关键点上，颜泽从小自理能力就差，独立生活后不可避免把自己打理得有些窝囊。

她知道夕夜的话没有错，因此更加恼羞成怒，虚张声势地大笑道：“顾夕夜你是不是疯了？听说我和新凉要结婚，嫉妒得发了疯？”

“颜泽，我不是过去那个我，你不配让我嫉妒。新凉也不是你的名牌衣服，存在只为满足你的虚荣心。我不会允许新凉和你结婚。”

“允许？你搞搞清楚好吧，你在新凉心里算什么呀？我们结婚什么时候轮到你来允许了？”

夕夜冷冷地剜了她一眼，不再多说，转身就走。

“顾夕夜你想干什么？你又要不择手段了吗？你要像害死卓安那样害死我吗？其实你希望死的那个人是我，不是吗？”

大声的咒骂紧跟着从身后追来。

夕夜紧蹙眉，发丝被风扯乱在眼前。

[二]

已经够了。

高二那年，最好的朋友死在自己面前。一个年轻鲜活的生命转瞬即逝，几秒钟以前你还听见她叽叽喳喳说笑的声音。

你才知道人原来如此脆弱，生与死的距离仅一步之遥。

这不是时隔几年就能全无负担地再度谈起、轻松假设“如果当初”的话题。

即使偏偏只有你知道真相，即使被误解得再深再久，你也不想提及。

[三]

周五晚上在家吃饭，父亲又追问为什么信用卡里的钱一分没动，夕夜说自己的收入还能维持。

“我们小颖能力很强。”母亲脸上写满自豪感插嘴道，“事业一定会越来越好。对了，现在离开了学校，住在哪儿啊？”

“和朋友一起租的房子，离电台很近。”女生顿了顿，“离学校也很近。在那片地方生活了四年，什么都习惯了，怎么也不想离开。”

“也对，你喜欢就好。”母亲点头说，“是男朋友么？”

“不是的。只是高中起就关系很好的同学，比那房子还让人习惯。”

“那现在有男朋友了吗？”

“男朋友倒是没有，不过有喜欢的对象，七年了，没有对他说过，也不知道对方怎么想。”

“是个什么样的人？”母亲问。

夕夜淡淡地笑起来，瞥了父亲一眼：“您见过，爸爸也见过，”她在家人们好奇的目光中短暂沉默，微微压低了头，“是贺新凉。”

母亲沉不住气，餐叉从手中滑落进餐盘，发出清脆的碰击声。“哎呀，怎么……”

静颖抿嘴忍住笑，头也不抬就能感受到父母投来的目光：“你们别看我，早跟你们说了我对贺新凉没感觉。姐姐的事，妈妈你明天出去应酬时不如问问贺新凉他爸，让他去探探口风。”

夕夜原以为作为知情者的静颖会起反作用阻止自己，没想到她竟顺水推舟，有点吃惊。

晚饭过后陪她去遛狗，问起为什么。

“我不爱贺新凉，你也不爱，但并不希望他陷入不幸。前几天我也听朋友说颜泽和他要结婚。虽然我没你那么大决心非拆散他们不可，但我也觉得他俩现在结婚实在太仓促了。两个人之间有很多关键问题没有解决。新凉急于用结婚这件事向对方同时向自己证明他还爱颜泽，而颜泽从来不爱新凉，她只是需要新凉，或者说需要这么一个人——长得帅、家境优、性格好、对她言听计从。”

夕夜微怔，停住脚步盯着静颖待了半晌。新凉和颜泽外在的条件实在差距太大，让人无法想象颜泽对新凉远不如新凉对颜泽爱得多。就像从前，假如谁揭穿夕夜嫉妒颜泽，也让人难以置信。

“你果然是旁观者清，圈子内的人多半没有理智，我出此下策其实心里不无怨恨。我也曾真心喜欢过新凉，只是替他感到非常不值，说不清其中道理，冥冥之中觉得应该阻止这件事发生。”

“你也曾真心喜欢过新凉？”静颖回过头，瞳仁里闪烁着讶异，“你怎么会喜欢他？你喜欢他什么？”

夕夜被猛然问住，眨了眨眼睛。

回到最初的时候，怎么会喜欢他？而又是喜欢他什么？

刚进校时听同班的女生叽叽喳喳议论哪个男生长着“校草脸”，知道最受追捧的那个和自己有点渊源，是自己曾经最好朋友的男友。

关系就这么简单，本以为不会再复杂一点。

谁知某天放学后，和夕夜一起打扫的季霄被老师叫去办公室了，女生为了拖地，独自拎水上楼，刚走到楼梯转弯处，同班的贺新凉就一步三个台阶地从楼下追上来不由分说地提供帮助。

微怔的当下，女生还没反应过来，愣愣地往后让了半步。

接过水桶的那只手，干净纤长，骨节分明，经脉在颜色偏深的皮肤下走成遒劲的曲线。

不可思议。

只是因为这手，这瞬间。

突然喜欢上了这个人。

时隔不久的运动会上，参加四乘一百米接力的颜泽在迈过终点的瞬间摔倒，被贺新凉横抱起来送去医务室。

夕夜留在终点线旁边呆呆地看着两人远离自己的背影，伤心到了底，可正是这份伤心让她辗转反侧一整夜确认了自己对贺新凉的喜欢。

之后的周一，她回校吃了早饭，在楼梯转弯处的落地镜里看见形容憔悴的自己，感到不妥，急急地跑向寝室换了件纯白色的连帽卫衣，外面再套上深青色校服，脸色立即被衬亮了。

情窦未开时绝不会有这种小心机。

进教室时挺直腰，踮着步，姿态格外优雅，没有往贺新凉那个角落看，却知道男生的目光在随着自己移动。

也是从那天起，大家突然发现这个女生变了，说不清变化在哪里，好像她的身体向外延伸出了奇异的柔媚枝蔓，不是像从前那种精巧稚气的漂亮，而是让其他同性感到威胁的美。

她总是站在远远的地方微蹙着眉，看新凉和颜泽谈笑风生，心如刀绞，误解了真爱的意义。

[四]

夕夜搬来与自己同住的事，季霄没有告诉亚弥。

父亲的公司受行业经济景况的影响资金周转不灵．已经到发不出工资的境地，家里气氛分外压抑。

本着逃避的心理，连续几周没回家，季霄不想连宿舍这最后的避风港也失去。

手机铃声骤响，他翻过屏幕，见是亚弥，便把手机放得远远的，用枕头盖起来，继续拖动鼠标。

和亚弥只相差一岁多。

可如今一个在校园，一个在职场，一方无忧无虑另一方忧心忡忡，考虑的东西全然不同，心理距离越来越远，倾听与倾诉都觉得疲惫。

房门突然被大声捶响，季霄惊得从电脑前跳起来。不知出了什么事，夕夜在门外喊他名字。

季霄连忙拉开门，女生一把抓住他手腕将他拖到电视前："快来看看这是不是夏树？"

可是电视屏幕中却在播放新闻。

男生一头雾水。

夕夜遗憾地发出一声"唉——"，补充说明："刚才我看见主持人身后的路人好像夏树，可惜过了。"

"你见过夏树？"

"我没见过她本人，只看过一次照片，所以才让你来看是不是。"

"只见过一次照片？那为什么马上就觉得她是夏树？"

"她站在路边迎面对着镜头，看不清脸，好像在等什么人，后来过来一个男生朝她走过去，两人牵着手出了镜头，自始至终那男生也没有回头，但我就是知道他是风间。"

"第六感告诉你那个男生是易风间？"季霄把她的意思重复一遍。

女生有点着急地点头，生怕对方不信自己。

"毕竟是交往过的人……这我能理解。"男生转过眼睛看向她，"不过女的是夏树的可能性非常小。"

夕夜还想争辩什么，男生示意她打住，在她身边坐下。

“风间临走的时候跟我说——我也不知道他为什么对我说这些。他童年、少年时代都因为家庭缘故过得非常不幸，十四岁那年遇见夏树，认定她是和自己一样孤独的人，他对夏树了解不多，不久后夏树又转学去外地和他一别两年，其间他和别的女生交往过，对方给他的感觉很像夏树，可终究不是夏树，很快就分手了。后来夏树又离奇地出现在他的生活里，两人真正开始交往，他却突然发现一直爱的人不是夏树而是他想象中的夏树。在分开的两年中，他不断在脑海中将夏树的形象美化、不断臆造自己与对方的心灵契合点，而夏树和他的想象却出入极大，让他不禁失笑自嘲，世上哪有自己想象中那种女孩。再后来，他遇见你，才觉得不可思议，你是……按照人设出现的角色，吻合得几近虚构。然而，你是他命中注定的人，你却有你执着的人，分岔的路无法强求，只能彼此珍惜同行的时光。”

男生说完，两人沉默许久。

“你真的不知道他为什么对你说这些吗？”女生紧盯着电视屏幕没有去看他。

“欸？”男生蹙起眉，一时反应不过来。

风间的目的……

自己与他的关系仅仅停留在室友上，不算交往甚密，他对自己说这些，也许……无非是希望自己转告夕夜，在他走之前挽留他。可自己却拖拖拉拉直到今天才告诉夕夜。

季霄把夕夜的追问当成指责，不知怎样回答。

“……对不起。”

女生久久愣住，突然苦笑：“我当然也明白，错过就是错过，失去就是失去，‘分岔的路无法强求’。是我妄想，以后……再也不会了。”

说着便起身回了自己房间，留下满脸茫然的季霄。

夏末的风掀开白色窗纱灌进屋里，最后的蝉鸣像海浪迭起。

为什么总是要等到失去，才幡然醒悟，懂得珍惜？

羁绊和情意，日复一日，一点一滴累积，源源不绝地渗入心脏，酸的或者咸的，灰的或者白的，纯净的或者混合的……把原有的空间全部涨满了。

说过的每个字，响彻在耳畔的每句话……法则、规则、原则，都不能阻止它们逐渐改变你掌心纵横交错的曲线。

[五]

从那天起，夕夜和季霄的见面变得尴尬，对话局限于生活起居，而且简短得不能再简短。

他揣测她曾说过的每句话的意义，逐渐了解她的心思，明白她虽然外表冷淡但心里怀着爱，这种爱饱含生命讯息、激烈不可抑，反而使他退缩，不知道自己要付出多少才能与之对等，另一方面，他又不得不顾及亚弥，这个挑不出毛病的好女孩让他无法辜负。

夕夜和他同住的事终于还是传到亚弥耳朵里，出乎意料，亚弥的反应异常平静。

“其实你很早以前就已经喜欢上夕夜了。我说过你，你狡辩，但不是故意欺骗我，你是真心误以为自己并不喜欢她。”

季霄望着她脸上逐渐显出的如释重负的光泽，觉得她此时的笑已经不像从前那样眼角眉梢毫无保留地张扬欢愉，心里紧紧地痛起来。

回想三年前向自己告白的她，一派天真懵懂又莽撞的女孩，额头圆圆鼓鼓，表情瞬息万变，慌张的时候眉头耸起形成个可怜的“八”字，笑的时候下垂的眼尾拉出一条上扬的细细笑纹，心里想到什么立刻脱口而出。

与此刻面前的她判若两人。

不是不愿意在别人生活中留下痕迹，只是害怕改变了别人原有的轨迹。

一句“对不起”，偿还不了。

“季霄，我们分手吧。我不是置气，也不想吵闹。我只是觉得，你已经不是我喜欢的那个季霄了。你也许不知道，我喜欢你的时间，不止三年，不止六年，比你想象的长得多，你一直在我的生活里占据最重要的位置，可你却没有注意到我……”

季霄做了个打断的手势，摇了摇头：“我记得你的时间比你想象的长得多。三年之前我就认出了你。那时你十三岁，手里攥着粉白相间的信封，堵在我上课的体育馆门口逢人就问‘季霄在哪里’、‘看没看见季霄’，那份无所畏惧的盛情吓坏了我，我不得不躲在器材室的储物柜里，你看不见我，但我看得见你，有个瞬间，我们就两步之遥，但我觉得两步之外腾起某种过于灼热的东西，是我所无力承担的。”

亚弥闭一闭眼，在眼眶里来回绕的泪水终于大颗大颗落下来，不沾脸，直接摔碎在地上，抬手去拭都来不及。

“我知道你在储物柜里，其实我发现了张开的门缝。你也许理解不了，当你喜欢的人离你两步之遥，他的呼吸你都能感受到。那时候我在想，我喜欢的那个季霄哪里去了？蜷在那个又闷又小的空间里的人根本不是我喜欢的季霄啊。我喜欢你，不是为了让你左右为难，变得懦弱、彷徨、优柔寡断。现在也是如此，在夕夜和我之间摇摆不定的你，不是我喜欢的人。我喜欢的季霄像王子一样，哪怕不在我身边，我也想你永远像王子一样。你明白么？”

男生也红了眼眶：“你也是，哪怕不在我身边，我也想你永远懵懂天真无忧无虑，像小时候那样，什么也不怕失去。”

“我不怕失去，因为我没什么能够失去。但是你会害怕失去，你总有一天会后悔，”亚弥说到这里顿了顿，微笑起来，“因为你失去了世界上最最爱你的女孩。”

[六]

试用期结束，夕夜被留用，成为正式DJ，主持一档晚间音乐节目。过了不久，有个去大理出差的机会，夕夜一心想从宿舍逃出去，收拾东西时，她几乎把自己的房间搬空了，走之前才告诉季霄。

晚上十点四十的飞机，出门时已经过了九点。男生有点担心不安全，提出送她去机场。夕夜预料这一路可能会尴尬异常，连忙拒绝。

等她下了楼，季霄在窗口看见她消瘦单薄的背影，依然放心不下，跟着出了门。

不想再制造劝说不用劳烦的客套对话，男生没有上前叫住她，一直保持十米左右的间距，无论人群多么纷乱，目光的焦点始终定格在她身上。

夕夜拖着行李箱走在单行道的区间路上，穿过两个寂静无人的十字路口，高跟鞋敲击地面的声音在空旷的环境中异常清晰，这段路也显得比实际距离漫长。

接着是一条主干路，环境音一下子变得嘈杂，车流被信号灯截断，马达声在斑马线旁响得轰鸣。可即使置身人群，她依然形单影只，和周围的人尽量保持距离，步调和离她最近的人也不一致。

地铁里人很少，季霄和她不同车厢，但看得见她。

她垂眼盯着自己行李箱的拖箱杆出神发呆，侧脸映在车窗上，没有什么表情，只显出疲惫的神态。微卷的长马尾从后颈绕向胸前，勾勒出柔美的曲线。

中途换乘了另一条路线的地铁，穿过长长的地下通道，白炽灯光把她的脸打亮，时间缓慢得失去刻度。

然后两个人一前一后出了地铁站，再度融进夜幕里，走过开阔的街心广场，又乘上磁悬浮列车。

季霄坐在她侧后方两排的位置，只看得见她搭在拖箱杆上的手肘。

从磁悬浮车站直接进入候机大厅，男生目送她换了登机牌。离登机的时间还早，她没有直接过安检，而是在候机厅中央的咖啡店找位置坐下，点了一杯牛奶。男生怕被她看见，这才出门离开。

夕夜偏在这一刻鬼使神差地回过头，没有任何目的地朝候机厅巨大的落地玻璃窗外张望了一眼。

那颀长挺拔的背影，她再熟悉不过了。

她不禁从座位上站起来。

季霄离开她的视野中央，走进更远的景深中去。以夕夜的角度看，好像沉沉夜幕中浓黑的云朵将他包裹了起来。

黑色的云在风的扯引下迅速流动，不安地翻滚着，仿佛企图掀开一角天幕泄露出黎明。

这幅画面以永恒的形式印刻在了她的记忆里。

[七]

父亲没有命令新凉立刻和颜泽解除婚约，只是和他商量是否能将婚期延后。公司即将上市，急需夕夜父亲公司的投资，在这关键的半年内，应尽量避免因为儿女情长引得枝节横生。

男生把母亲过早病逝的原因归结于父亲对家庭不忠，一直对父亲耿耿于怀。父子关系冷漠至极。但这次却少见地采纳了父亲的建议。

一方面，冷静下来后，对结婚成家也感到心理准备不足；另一方面，理智地考虑，婚事本身并不十万火急，当然还是该以事业为重。

可是，如果将前因后果如实告诉颜泽，必定会引起轩然大波。所以新凉只是对颜泽说，最近公事繁忙工作压力非常大，不如将婚礼推迟半年。

他没想到，这样的理由在颜泽听来明显是借口，她压根就不相信，愈发怀疑他变了心。

两人吵了几架，转而互不理睬，只要一说话就又吵起来，关系越来越僵。

新凉也不想让步："两个人交往这么久怎么连半年之期的约定都不能达成？"

"请柬都已经发出了！现在突然要延迟婚期岂不成了笑料？你整天只知道考虑你自己，你有没有考虑过我的感受？"

"你的什么感受？你的感受就是为了不成为笑料才要和我结婚？"

颜泽半晌没说出话，胸口堵得快要背过气去，瞪着他过了长长的两分钟，站起身抄起面前的饮料泼向他的脸，然后望着被出于意料浇了满脸狼狈地仰起头来的男生，才觉得哽在喉咙口的那股气提了上来："贺新凉，我从来都没爱过你，我跟你结婚是为了满足我的虚荣心——说出这样的话你不觉得可笑吗？你是王子吗？你有多伟大？你还要多久才能长大？"

新凉惊讶地看着她，突然意识到这样的争吵并不像平常每一次那样，它好像掘到了地表之下几十米几百米的暗处，触及了本质的矛盾。

他一直觉得自己最懂颜泽，但人与人之间的隔阂远没有他想象的那么简单。

女生脸上露出悲戚的神情，像要挥开什么似的摆摆手，拎起包出了店门。

过了两天，颜泽的妈妈打来电话，这倒在男生的预料之中，毕竟推迟婚期本该知会对方父母。但颜泽妈妈要谈的却与婚期无关。

"小泽回家后说了句'我不想结婚了'，就一直把自己关在房里。推迟婚期的事，我可以理解，每个人都有自己的难处。如果你真有什么不得已的难处，和小泽开诚布公地谈一谈，我想她会理解的。你们想结婚，总是要抱着生活一辈子的愿望，如果遇到这么一点阻力两人都不能互相体谅，究竟还要不要结婚你可得慎重考虑。我对你没有别的要求，只请你不要欺骗她的感情，任何时候都坦诚相待。"

新凉只能潦草地应着，心里有点乱。

如果两个人不用考虑任何外界的压力与意见，仅仅凭感情出发，有了矛盾就及时沟通，哪怕是争吵，也能够解决问题。

可如今双方都有来自家庭和社会的压力，彼此又无法感同身受。父母的初衷都是善意的宽容的，却往往适得其反。

展开在面前的只有——

不可挽回的距离。

不能体会的心理。

以及，无法再重现的曾经。

[八]

再度回到了这里。

并不仅仅是命运的安排，七分的注定带着三分刻意，夕夜没有随同事从大理直接回上海，而是离了队，坐上了大理到昆明的长途车。

第一次途径，因泥石流和交通事故被滞留在此，狼狈落魄得无以复加的经历，却在最后有个甜蜜的结局。那时曾被你深深憎恶的山水，也许是胸怀着恢弘的宽容安静地注视微渺的你，早知道你会重新回到这里。

只有重新回到一段感情的起点，才能够看清它本来的色调，也唯有如此才能获得勇气去告别它。

长年不化的白雪兀自仰首朝拜天际，不向踞于裙下臣服她的绀蓝山脉瞥一眼。

琉璃色的青空怀抱稠密棉白的云，如晕如染。云层在最低处的外缘化成雾，笼罩住被群山碾在脚下的植被。柔化过的千岁绿中点缀少许　脂色的花树。

这才是天与云的真实面貌，无需你为它添画几笔悲喜，已足够撼动人心。

被阵雨冲刷过的梦境在这天然的和谐前算什么？被玻璃隔绝后的静音在这温厚的沉默前又算什么？

白的天与黑的云，总在无数轮回中复现。

爱情平淡无奇，可以发生在任意时间地点。但有的爱却仅此一次，无法一版再版，没有时间刻度可供衡量，不存在于任何空间维度，全部的能量凝聚于一点，只在这瞬间，山无陵，江水为竭。

不能在安宁平静的未来说，爱从来不曾存在。

故地重游时，早已沧海桑田，获得的却不是告别的勇气，而是再次被感动后的眷恋。

积蓄所有的温柔、善良、宽容、谦和与坚韧，皆为瞬息。

夕夜从虹桥机场返回宿舍时也是深夜，24小时便利店在一整条街的黑暗中荧荧亮着光。

平日喧嚣的街道寂静下来，那些写着可爱字体的桌游店招牌，手工巧克力店的粉红外墙，咖啡馆在临街处张开的青绿色圆伞，都已带着生动的笑容睡去。

人行道的地砖缝里渗出清冷的月光。一路走来，随着寒意愈发深浓，勇气却愈发稀薄。

以至于最后她站在楼道里踌躇，抬不起按门铃的手。

无法解释，临行前为什么落下了钥匙，心知肚明这不是疏忽。

记不起是第几次转身面向家门，视线落在门铃上。仿佛因着什么玄妙的心灵感应，门突然打开。伴随着一句朝向室内问的“你确定只要啤酒”，季霄回过身，怔在了夕夜面前。

想看一看对方是否一如既往，目光的落点从眼睛移向整张脸，可是失败。

再一次努力，依然失败。

推拉摇移都改变不了焦点。两三秒的对视，沉没在眼睛的漩涡里，什么都失控，什么都忘记。

只差一个久别后的拥抱。

女生搁置了呼吸，刚想上前一步，男生却以一个微妙的后退趋势制止了所有可能。

季霄头偏向室内，瞳孔朝一侧微移，接着让出一个肩的位置："新凉在这里。我去买点夜宵，你先进去吧。"

夕夜这才发现玄关的延长线上站着新凉。

[九]

"不好意思，季霄没跟我说你今天回来。"新凉一边帮着把夕夜的行李箱安置到橱柜底下，一边道歉。

"他也不知道。"见新凉完成动作后局促地站在客厅中央，夕夜招呼他在游戏垫上随便坐。

男生在她身边坐下，不知该说些什么，斟酌了半晌，突兀地来了一句："我和小泽暂时结不了婚了。"又紧跟着补充一句，"我跟她准备结婚的事，你知道吧？"

"知道，而且很意外。她急着结婚我倒是理解，可我不懂你。为什么她去整容后你不跟她分手反而跟她结婚。在我印象中，你不是这么看重外表的人。"

"你说得对，我不看重外表。小泽做了错误决定，我不可能一味地鄙视她责备她，因为这也是我的失败。如果她拥有和那些聪明的漂亮的女孩同等的幸福，就能够变得和她们一样温柔可爱。唯一能将她性格中那些凌厉的阴暗面削平抹去的办法是用足够多的温暖把她包裹起来。"男生低下头顿了顿，"一直以来我是这么认为的。但却还是忽略了她，没有给她安全感，这的确是我的失败，不是么？"他侧转身来诚恳地看着夕夜的眼睛。

女生闪开了目光，盯着一旁的地面，长吁一口气，苦笑道：

“你是个善良的人，只能从善意的角度看待和理解别人。”

“但却从没看错过。你也许都没有察觉到，小泽没有失忆。”

“我知道她恢复记忆了。”

“不，她从来没有失忆过。”

“欸？”

“在那件事发生后，我很快发现她只是装作失忆——其实说起来，怎么可能那么幸运地失去了自初中以来的记忆？又不是韩剧。”

“装的？为什么？”

“为了伺机报复你。”

夕夜无言以对。

“‘顾夕夜想要我死，所以撒谎说窗户推不开，结果却害死了卓安，我一定要找机会替卓安报仇。’被我拆穿伪装失忆时，颜泽是这么说的。我告诉她你是撒了谎，可却不是为了害谁，是没带纸巾去擦灰，向我借过可我也没有，不愿抹得满手灰，于是假装努力推过窗，谎称打不开敷衍了事。这只是我的推测，她虽然不完全相信，但看在我的分上也不再想着报复了。”

男生的肩胛在身后的沙发上找了个支点，微微斜倚着，不时向夕夜瞥一眼。不是以一个被爱人的目光，也不是以一个陌生人的目光，而是知冷知暖的老朋友，疲惫的神情里有种不加掩饰的暧昧，这样一种暧昧由极为复杂的心事催生，不矜持，也不天真。

夕夜这般敏感，不可能没觉察。她也理智，知道贺新凉一向就是这么个人，三分有意七分随性地多情。但这时她还是忍不住把颜泽想起来，带着前所未有的一点优越，了却曾经耿耿于怀的失败。

“我没奢望过有人能理解我，不仅颜泽，连季霄都怀疑我是蓄意的。我甚至懒得争辩，因为争辩了也不会有人相信，在大多数人眼里我就是那么个阴险伪善的人。更何况，最懂我的卓安不在，其他人怎么看已经不重要了。没想到你还记得借纸巾的细节。虽然我喜欢过你，但却真不了解你，对你也不敢有半点期待，这么一来，你反而成了被忽略的人。”

新凉笑了。

月光描着他的轮廓从身侧由远及近漫过来，到了眼前反倒淡得朦胧，好像被笑容冲抵了，溶解了，人和景融成了一体。没喝酒，却像是有了几分醉意，飘起来，把什么都一并看轻了。

纵使境遇变迁，夕夜也没想过会有这样一个晚上，和曾经恋慕的少年一起坐在地板上聊天。脑袋里还有根悬着的神经，知道若不是他迷茫失意到极点，是不会有此刻的。这么想着，鼻子有点酸。

男生沉默良久，出神地说：“不是我细心，而是我带着负罪感。其实卓安是从颜泽的手中挣脱的，并不是说颜泽坚持到底能救得了她，她没有活下去的欲望。她过得抑郁委屈，家里出了事，只向我诉苦过求助过，我却没留意，心思全在颜泽身上。”

夕夜冥冥之中早感到卓安言行有点反常，在出事之后反复听她忘在自己这儿没拿走的MP3中的歌，其中一首有着恐怖歌词又使人不由自主深陷其中。

“……断翅的鸟不能再飞，不能再滑翔，放弃那些多余的羽毛，消亡吧，然后重生，化身尘埃在黑暗中起舞……”

新凉听她小声哼唱，蹙着眉转过头：“这是什么歌？”

“卓安mp3里的一首歌，不知道名字，不知道谁唱的，有段时间我反复听，绝望得有了自杀的念头，吓得不敢再听。好奇是什么歌，也一直留心寻找，但至今没有在别的地方听见过。”

这桩事故的相关者两两相遇，总逃不出自责或相互责备，总想找个解释，谁知最后归咎于玄虚，没有了出路。虽然有点解释的作用，可到底还是无法让人释怀。死的是死了，生的人全被惶恐和忧郁罩住。

久而久之，无论犯了什么错，走入什么绝境，都不由自主循到这个根源，它把什么残缺都撕裂了，把什么希望都浇灭了，为每个裹足不前的人准备好充分的借口。

[十]

重逢那晚的强烈情绪因新凉出现而中断，犹如梦到一半惊醒了，再怎么强迫自己沉睡回去也续不上。季霄和夕夜的关系又恢复大理之行以前的古怪，客气得不像话，出门时因故同行或找借口同行的几率大，但又绝对不是约会，说话像太极里的推手，各自要斟酌许久，又不见得落到实处。

夕夜受道义所限，再加上习惯了挫折，对什么好事都抱有怀疑，不敢付出太多。

季霄的退缩就更有缘由了。他的恋爱行为规范本是在和颜泽交往时向夕夜学的，什么是慷慨，什么是责任，什么是大度，什么是委屈，什么是辜负，什么是遗憾，全是打她那不切实际的说教里学来的，对颜泽未必药到病除，但对她总该是对症的。

哪知道她全从偶像剧、文艺小说里照搬来，自己心里别有一番洞天。

当年她说得理所当然，这些条条框框就恶作剧般穿过风绕了弯再回到她的路上来理所当然地使绊。

再加上，两个人的人生经历中都稀缺幸福情侣典范，不幸的例子倒比比皆是。

伤心的事见多了，自己还没感受到快乐，就先感受到了快乐之后接踵而至的烦恼。跳过过程光看结局，没有不觉得惨淡的，于是挣扎不挣扎不重要了，纠缠不纠缠不重要了，连爱与不爱似乎也不重要了。

二十三岁的心态绝不同于十五岁。都开始凭经验限定自己的轨迹，虽不至于刀枪不入，但已经学会在决断前慎重思考。

把握不好尺度，慎重变成拖延，拖延变成逃避，逃避变成得过且过。

晴朗的周末各自把衣物床单洗了，分配着阳台晾晒，泛泛的自然光在铝合金晾衣架的正中间凝成一个点，刺着眼。

夕夜的一件真丝棉衬衫没来得及用木夹固定，薄得蝉翼一般，被风吹开，男生条件反射地伸手去截，可对它的重量却估计不准，幸而另一只手赶紧跟着伸出去将飘远的衬衫救了回来。还给她时季霄随口说："你穿这件衣服很好看。"

"我自己做的。"女生笑一笑。

男生微怔，脑海中跳出一句"当时年少春衫薄"，勾出一种难以言喻的情怀。

全上海满大街都是颜泽那样的女孩，总有自己的小追求小爱好，时常把国际奢侈品图片转到自己微博里，若非如此不能显出自己有品味，即使明知那些衣服是化纤质地，欧码板型大又不合自己身材，穿起来十足难看，但攒钱买到一件哪怕是打折品她也兴高采烈。

自身没有气质，有气质的奢侈品也会在身上忸怩抵触不肯帮忙。终究是小家碧玉里生出的阔气，成不了高贵，低级趣味里生出的新潮，成不了优雅。

夕夜是百里挑一的自成一派，她的品味不需要外界标准来衡量，注重衣服质地与款式，没有大牌撑腰内心也不怵。分寸又拿捏得刚刚好，再文艺一点，就成了矫情，再傲然一点，就成了乖僻，再朴素一点，就成了穷酸。经过事的淡定自处，不是人人都能有的。

她那样自信，又那样适意。仿佛有没有你都不碍事，可正因如此你才偏偏起了与她天长日久相濡以沫的心。

夕夜没觉察季霄的变化，想起已经许久没有新凉和颜泽任何一方的消息，便向他打探。

男生回过神："当初说婚期推迟半年，可这快满半年也没见什么动静。新凉已经很久没跟我提起颜泽了，我也不好多问。听说婚期延迟是因为你，你管他们干吗？"

"我不喜欢他们在一起。颜泽只会一味伤害新凉。"说得颇为孩子气。

"两个人之间的事，哪能论什么孰是孰非？哪里有什么评判标准？恋爱的双方总有人付出多一点。就像我和亚弥，从小到大都是我亏欠她，可最后还是由于我的原因分手。说得宿命一点，也许其中一个上辈子欠了另一个巨债，这辈子注定要来偿还。"

"你和亚弥分手了？什么时候的事？"惊讶得瞪圆眼睛。

"你去大理之前就分了。"说得轻描淡写，意在消减亚弥在自己生活中出入带来的影响。

可太过轻描淡写却起了反作用。

"怎么没听你说？……也看不出来。"

"……也不是什么值得特地商讨的事。我又不是女生，分手了还要向姐妹团哭诉。"

女生一时噎住，转而又泄了气。自己在季霄心里的地位不过是"姐妹团"的一员。原以为两个人之间的障碍只有亚弥，可他和亚弥已经分手这么久了，彼此的关系不仅没有进展，而且他甚至没有知会自己一声。

男生在心里刚往前迈了一步，女生就阴差阳错地退了回去。

如果此时季霄把心里的钦慕与畏怯直接告诉夕夜，也许之后两人就不会在互相揣测的路上离真相越来越远。

但能把真心毫无保留袒露，又不像季霄了。

季霄不是没有悉心悉意，而是悉心悉意在肚子里，一往情深得再有分量也只有自己知道，整个人整颗心沉甸甸下去，重得压垮了心肺却不懂表达。

无法处置关系的改变，更难承受后续可能发展出来的张力，因此不能洒脱地给予对方承诺，自以为这是给对方更大的空间和自由，紧张得把付出去的一点情感也收回来，使夕夜认定了自己不被需要。

[十一]

到了这一年夏天，得过且过终于也走到了尽头。

夕夜在一次电台举办的音乐颁奖典礼上担任主持表现突出，收到了市电视台音乐频道的offer。

本是好事一桩。可兴奋地告诉季霄之后，男生却露出凄凉的神情。

顿时所有喜悦都落空：“怎么了？”

“夕夜，我对你的感情，你是知道的吧？”

不能说不知道，只是一直将信将疑。在听了这句话之后才确定，但这话的语气实在太可憎，让人心里莫名涌起怨愤。可是因为对他的表情和下文怀着强烈好奇不能发作。夕夜抑住不满，问：“所以呢？”

季霄遇到言简意赅的反问有点措手不及，几乎想要退缩，停顿了好几秒才开口：“公司派我驻美国工作两年，正犹豫着该怎么告诉你。现在你接了offer，更不可能放下这里的一切跟我去。”

他把话说得不留余地的明白，夕夜不做声了。原本耽搁着不提未来，仿佛未来妥帖地等在路的前方，时间一长惰性大了甚至懒得去想，但现在未来突然渺茫，才意识到之前相处的短暂时光都被挥霍浪费了。

夕夜想现在再怎么和他沟通商量也是没用了，他把抉择权交出来放手不管，看起来是留是走是分是和全由夕夜说了算，其实是连风险和责任也一股脑地扔给她了。

她本来也不怕做决定，但实在投入了太多感情，从碎碎屑屑变成黏黏糊糊，绊手绊脚的怎么也扯不断，进退都有险象环生的预感，一筹莫展。

那张带给她欢喜的offer也搁在抽屉里，成了烫手的山芋。短短几天人瘦了一圈，脸上冒出疙瘩，焦虑中滋生出埋怨，越想越生气。

我把你当成唯一可依靠的人，可你给过我什么呢？且不说承诺是否能实现，关键是连承诺都没有，甚至连告白都没有。等到要决定的时候，就这么哗啦一下把现实倒在我面前。我凭什么要那么不明不白地跟你去？你这样一个没有担当的人，又有哪里值得我放弃自己去追随？

但每每赌气决定了放弃他，转天又心软反悔。

再明白不过，跟他去，就是一段新的开始。而留下来，一切就完结了。

季霄独自去办签证的那天，回来后倍感失落，想和夕夜聊聊天，敲了她的房门。

门开后，正对面的照片墙赫然映入眼帘，大大小小的照片，约二三十幅，全是景色没有人像。其中最大的那幅他一眼就认出来，是大学毕业那时夕夜去大理应聘，在途中遭遇泥石流被困，他去接她回来的地方。

男生百感交集，许久移不开目光，指着问："是那次拍的吗？"

"不是。后来我又去大理时，回程在那里下车拍的。"

"难怪，天气好与不好的时候，景色看起来果然差异很大。"

"天气不好时是另一种美。"

"但我更喜欢晴朗的天，逆光加曝光补偿拍下来，蓝色浓郁得像油画一样。"

"那里的天本来就比这里蓝得多。"

"是么？我没留意。"

"你什么也不会留意。"

"谁说的？"男生笑起来，"我会有重点地留意。"

夕夜再没话了，好像盯着那幅照片出了神。沉默缓慢地在房间里凝结，终于男生尴尬起来，觉得没什么可说了，便起身让她早点休息，出去帮她掩上房门。

门锁被扣上的瞬间，女生的泪水才涌出来，不知无声无息地流了多久，才昏昏沉沉地睡了过去。

有重点地留意。

却总是搞错重点。

整整一墙壁的照片，去捕捉这些景色的过程甚至不能被称为摄影，只是拍照，却已经足够美，你没有留意是为什么。

按图索骥，让我能轻易找回曾经的你。

夕阳弥漫在高中教室里，美的不是温暖的夕阳，而是从我的视角看过去的，你曾经的桌椅。玻璃窗外狂走着沙石，美的不是疾卷的风，而是从我的视角看过去，你曾经站立的位置。铁丝网分隔着被白雪覆盖的操场，美的不是纯洁的白雪，而是我曾站在那里，一转头，就看见了你。

在我的眼里，天气没有好坏之分，那些有特殊意义的全是因为曾经有你。

气象殊异，可于我而言，你永远是你。

第十话

【The Weather With You】

直到今天我才明白自己错过了什么，

梦是不合逻辑的，

可就连梦中的错过也只在一念之间——昨天。

如果两年前做过这个梦，我绝不会选择永别。

……

[一]

酒店前开满了黄色的小花，艳丽的样子，有点俗气。

站在那里看一会儿，也会觉得土腥味涨满了鼻腔。十一假期中，油菜花怎么会开？还不止违背时令，为什么会被种在如此高档的场所？夕夜百思不得其解。

秦浅终于和男友举行婚礼。

夕夜仍是伴娘。季霄和秦浅本是通过夕夜认识的，如今和夕夜断了联系，又远在异国，自然也不会特地回来找尴尬。

颜泽和新凉倒是因为夕夜的关系接受了邀请。

“作为交换条件也好，你们举行婚礼时我要做伴娘。”闲聊时夕夜半开玩笑。

新凉接嘴说：“你伴娘做上瘾啦？这个人家都避之不及，做伴娘的次数多了要嫁不出去的。”

“嫁不出去就嫁不出去。颜泽的婚礼我不是伴娘，说出去都觉得不合情理。”

“谁说我要和他结婚了？”颜泽佯装不屑地瘪瘪嘴，“我才不结，免得过不久离婚又麻烦。”

"干吗离婚啊!"新凉叫起来,"你那乌鸦嘴消停点啊!"

"就算要结婚也就领个证拉倒。我才懒得举行婚礼。累死人的繁文缛节。"

"你妈不会让你那么做。"

"那倒是。但是我就算举行婚礼,也不会请这么多人搞这么大排场。只请亲戚、同学,三四桌。"

"秦浅最初也是这么设想的,可最后还是越统计人数越多。"

"是嘛,连我们这种八竿子打不着的人都来凑热闹了。"

"幸亏叫上了你,可派了大用场。"夕夜笑着说。

虽然名义上夕夜是伴娘,可帮助秦浅张罗事情的主力可是颜泽。积极程度堪比高中担任班长那时,用新凉的话来说,就是连课桌椅和垃圾桶都被迫接受管理了。

才跟着聊了几句天,颜泽又被婚庆公司的主持人叫走。剩下夕夜和新凉沉默了一会儿。女生的目光跟着远处颜泽的身影转。

"这种时候我才突然觉得,你们又重新在一起实在是太好了。"

新凉收敛嬉皮笑脸,瞥了眼夕夜的侧颜:"谢谢你把她的日记给了我,不过让我改变主意的并不是你折好的那页。"

在夕夜特地折好的那页上,初中时代的颜泽以稚嫩的笔触写下过任性的语句,有感于堂姐在那天举行婚礼,颜泽写道:将来我才不会结婚,结婚后一辈子只能守着一个人多乏味啊!我要和不同的人交往,厌烦后就分手去找下一个,三十岁开始养育一个只属于我的试管婴儿,一辈子过没有牵绊自由自在的生活,这样才是人生。

典型的颜泽心境,典型的颜泽做派。

什么都放得下,什么都不珍惜,自私自恋,享乐主义,其实一直以来，颜泽就是这样的人。

可终究为一个特殊的人改变了自己。停下脚步定下心，眼里只有唯一，哪怕乏味的时间长达一辈子，也决心和他分享人生。

夕夜把颜泽小时候的日记给新凉的目的，是让他明白自己在颜泽心里的地位。

绝不是满足虚荣心的物件，颜泽会肆无忌惮地吃醋、吵架、埋怨、闹矛盾，而没有为了避免失去而小心翼翼宠着他，是因为把新凉当作平等的伴侣。

但如果新凉不是因此而回心转意，夕夜实在想不出那本日记中还有什么温暖人心的章节。

"我看见了当年的你在和她交换日记时写在上面的一段话。"男生说。

夕夜微怔。

"你写道：爱是可以无条件付出，不在乎付诸东流，是可以无条件相信，不在乎错信偏听，是只有关心没有担心，是只想拥有不想占有。爱不是依赖。依赖是怕无序，怕被抛弃，怕对方不能自律，得不到回报就活不下去，是太低层次的情感，不值一提。"新凉淡淡一笑，"我想我是爱颜泽的。"他的目光重又回到远处颜泽忙碌的身影上，"爱是可以无条件付出，不在乎付诸东流。不是么？"

夕夜也想起了自己的确曾经写过这样的话。

年少时以稚嫩的笔写稚嫩的心，感受到的却是一生中最初最真挚最本质的体悟。

"可是我一直不明白，写下过这样语句的你，为什么会放弃季霄？"男生转过头看住女生的眼睛。

夕夜突然哽咽，许久才喃喃说出一句："我写过这样的语句，可是我自己忘记了。"

成年后人变得成熟、复杂、市侩、斤斤计较。

反而把最美好的东西遗忘了。

[二]

意料之外情理之中，在婚礼上，夕夜看见了亚弥。

女生好像带了男伴。

夕夜隔着几张桌子远远地往那边望，亚弥和坐在她身边的男生有说有笑，肢体语言丰富，仍是她一贯的大喇喇小女生的样子，看起来很幸福。

夕夜并不觉得那男生身上有半点季霄的影子，完全是两种风格的人。

她显然应该注意到了伴娘是谁，却没有和夕夜打招呼，也许依旧厌恶着。但夕夜也没有上前和她打招呼，说不清什么缘由。

或许是由于嫉妒。

毕竟形单影只的人只有夕夜一个。

婚礼的最后，照例是新娘扔捧花，接住的人是夕夜，可是有那么一瞬，夕夜感到也许自己是世界上最凄凉的捧花获得者。

散场时陪着秦浅站在门口送宾客，离去的不是三口之家就是一对对情侣。

结束后酒店外忽然飘起小雨。伴郎主动提出开车送夕夜回家，但是她拒绝了。

风是斜着吹的，虽然撑了伞，但雨水还是打在脸上，渗进头发里，右侧的发丝全都冰冷潮湿地贴着耳根、后颈。夕夜觉得自己正走在漫天满地的水域里，礼服裙变成捆绑束缚着她的水藻，举步维艰，前路渺茫。

——为什么要离开季霄？

——明明是深爱的人。即使在一起而没有承诺，也好过天各一方的错过。

——爱的羁绊中，本就该有一方爱得比另一方更为深沉，为了他放弃一切为什么不能？

这不是命中注定无法得到的幸福，而是自己亲手拒之门外的幸福。

不甘心。非常非常的，不甘心。

[三]

“和我同公司不同部门有个男的条件很不错，三十多岁，是部门经理，总监跟前的红人，有房有车，长得也蛮帅，我们公司好多小姑娘盯牢他。我和他有点交情，新凉也见过他，觉得他人蛮好的。我下个星期天把他约出来吃饭，介绍给你？”

夕夜陪颜泽逛超市，颜泽提出要给夕夜介绍男友。

“喂！你居然让我去相亲！”

“你也不能总一个人吧。为了季霄和易风间分手，又为了工作和季霄分道扬镳，归根结底你是最爱自己，把自己的职业生涯看得比感情重要，既然如此就干脆现实点，别再对爱情抱幻想，找个合适的人结婚，安定下来，总比最后变剩女强。”

虽然在夕夜面前，颜泽说话一向不中听，可到底她也找不出什么话去反驳。

颜泽不理解自己，却了解她。

“我和新凉都以为你会跟季霄走，到底是什么让你铁了心放弃他？”

“不要说遵守承诺，连许下承诺都不敢的人，我怎么敢把将来托付给他？”

“有些人只是认真慎重，不轻易许下承诺。”颜泽顿了顿，“季霄就是这类。”

夕夜沉默不语。

“说起来，不是工作为上吗？怎么你后来也没去电视台？”

“欸？”夕夜正伸手从货架上取食物，听见颜泽的话，回过头思绪停滞了两秒。

仿佛地震一般，货架突然剧烈摇晃起来，食物纷纷落下，颜泽也跟着忙不迭地去接去捡。

等到一切平息，夕夜再问“你刚才说什么”，连颜泽自己也忘了：“唔……没什么。”

[四]

“听颜泽说你在广播电台做主持？”

“嗯。”

“我平时不听广播。”

“哦。”

“你主持的是什么节目？”

“流行音乐。”

“流行音乐我也很少听，一般都听交响乐和歌剧。”

“哦。”

“……听说你是F大毕业的？”

“嗯。”

“学声乐？”

“新闻。”

“哦？有点不像啊。”

“……”

夕夜没去看坐在餐桌对面的男人，倒是被他身后戏台上夸张表演的丑角吸引了注意。

搞什么啊？这是相亲吧？怎么会定在这么充满民族气息的嘈杂餐馆？总觉得最近一些违背常理的东西在慢慢往自己的生活里渗透。

其实自己会答应颜泽来相亲这件事本身就太离谱。

相貌太出众，又在娱乐行业工作，被认为是不学无术的花瓶。

夕夜不是没有心理准备，但依然难免有些心生忧郁。原本论才情是没什么同龄人能够相较的，俗语说“半壶水才响”，一直低调谦逊着不张扬，可这偏偏是不张扬就无法吸引眼球的时代，于是再好的才情也无人赏识。

“说实话，”夕夜像是自己做了什么错事似的抱歉一笑，“我都不知道他是来相亲还是来吐槽的了。”

“哎呀你干吗又鸡蛋里挑骨头！人家回复说对你印象特别好欸！又温柔又文静。我帮你说了这么多好话，还把你烧的菜都拍了照发给他看，你好歹体谅一下媒人的辛苦跟人家再见一面嘛，说不定再见一面就找到感觉了呢？”

颜泽原是一番婆婆妈妈的好意，但夕夜总感觉平等的交流变成了推销式的巴结，甚至本来还够不上平等交流。虽然对方夸夸其谈显得很有学识，可引述的史料或评价的文学作品错漏百出，有时连常识都有混淆之处。

夕夜耐着性子不去纠正，以免难堪，但实在做不到在错误的基础上违心附和，只能沉默寡言，在对方看来竟成了学识有限搭不上话。

彼此无法沟通，夕夜对对方的不屑合情合理，对方却夜郎自大对她不屑更多一点。

不免又想起曾经。

和季霄同一屋檐下的那段时间，虽然不太谈情说爱，但聊闲天是常有的事。

夕夜晚饭后坐在沙发里看《史记会注考证》的《周本纪》。

季霄瞥见了，也不用拿文本便说："'贵主不笑，人君悬重赏，求启颜之方'，关键还在'人君'，褒姒之所以倾国，只因有幽王为之烽火戏诸侯。妹喜之所以倾城，也只因有夏桀为之裂帛。否则都是孤芳自赏枉多情。"

夕夜刚看到提及《格林童话》之处，于是想起："小时候我看童话中的萵苣姑娘很不解，明明生在平民家、被巫女养大，怎么又称'长辫子公主'，后来才知道，因着有王子，所以有了公主。"

季霄凝神回忆那故事的原貌，笑起来："我想你也是'长辫子公主'。"

此去经年，什么都改变。没有了"求启颜之方"的人，贵主不再是贵主，公主也不再是公主，都成了"孤芳自赏枉多情"。

要和这些腹中空空却夸夸其谈、坐井观天又自视甚高的人情投意合，夕夜只觉得委屈了自己，不妥帖。变成剩女也无妨，不过被人闲言碎语嘲讽几句"曲高和寡"，总好过一生一世的委曲求全。

颜泽不会理解这些，但如果卓安还在，她一定能明白。

[五]

也许时间能使人忘记。

也许你心里会永远住着这样一个人，只不过和他经历的一切被时光碾成碎片。

也许终有一天，必须要强迫自己去认定那些碎片微不足道——

辩论赛前也不忘把制服裙的上缘往腰间折进两圈，把值得炫耀的细腿留出日系杂志上的长度，能看见的只有坐在同一张桌前的男生。他视线无意间扫过你的膝，发出不易觉察的“欸”，迟钝的他，自以为找到了答案：“你是不是又长高啦？裙子都短了。”

或是午间走向食堂的林荫道上，和闺蜜一路有言笑，经过他和同伴的身边，故意把步子踮得稍稍起伏、体态更轻盈、微微低一低头，知道自己的长发会飘扬成动人的曲线，让他无法不看在眼里。

少年少女，未必就心怀爱恋。

可当时年少春衫薄，举手投足都是暧昧，总想让对方眼里的自己更美好一点。

心与心之间牵着千丝万缕的线，全是清纯。

与这种暗藏机巧的清纯不同，成年人的恋情有种沉淀之后更接近本真的平淡。

即使已不是当年的他们，但颜泽和新凉仍是令人羡慕的。

夕夜用筷子戳戳眼前的蟹粉豆腐，又难以置信地瞥一眼颜泽：“看起来好像可以吃。”

女生大笑着拍砸她的肩："什么啊！人家厨艺很好的好伐！"

熟悉的感觉又回来一点，自称"人家"的这部分，不是颜泽又能是谁？可厨艺？

"总觉得你做的东西吃起来会折寿啊。"夕夜实话实说。

"新凉天天吃，不也好好的！"找出一个证据。

"证据"立刻接嘴："死好几次了，幸好属猫。"被女生狠狠瞪了回去。

夕夜结束玩笑动了筷子，有点不好意思地压低声音问颜泽："你已经搬来和他一起住了？"

"那倒没有，这里离我公司太远，早晨起不来，所以晚上我还是回家的。"

也就是说，如果离公司近，住在一起也很正常，这样的亲密程度。

听他们有一搭没一搭地对话，充满了家常的幸福感，使夕夜不知该怎样自然地把自己放进独属于他俩的结界里，尴尬一直无法消除。

"时间不早了，我先回去了。"起身告辞。

谁知颜泽也没心没肺地扔下新凉："我跟你一起出门吧。我也得回家了。"还不忘嘱咐男生一句，"你注意安全锁好门。"

男生一边觉得她好笑，一边在沙发边转悠找钥匙："你们等一下，我开车送你们。"

夕夜摆着手推辞："你送颜泽就好了，我又不顺路。再说晚饭吃多了我也想散会儿步走去车站。"

"一个人的话也不用你送，你接着看电视吧。"颜泽马上接话，"我也想走走。"

男生也不坚持，就坐了回去。一瞬间让夕夜有些错愕，但转念想想，这反而是他们感情好的证明，什么都直来直去毫不客气，真心需要就开口说，说“不必”就是真的“用不着”，用不着拐弯抹角。

去车站的一路，两个女生聊了聊行业八卦，没有深入话题。

夕夜的视线一直向着公交车将要驶来的方向，表面上维持着谈笑，心里却在考虑，从今以后应该和颜泽疏远一点了。

一个人的极端幸福反衬另一个人的极端不幸。

怎样才能不嫉妒?

能想到，能做到，唯一的出路，就是远离她，避免在心里比较。

可是如果真能那么决绝与一切烦恼一刀两断，就不是人生了。

沉默少顷。公交车从地平线下翻进视野，一点点缓慢膨胀，昏黄的街灯下，还看不清是两人中谁等的车，夕夜不自觉地眯起眼睛，却听见身后很是犹豫地传来一句：“要不你跟我一起回家吧？”

“欸？”女生诧异地回过头，微怔，哪个家?

然后她突然鼻子一酸，红了眼眶。

眼前的颜泽与曾经的颜泽重叠起来，九年前的她在相似的车站，根本不知道自己将怎样改变彼此的命运，只是因为夕夜穿着单薄的衣服被风吹得看起来很可怜。她犹犹豫豫地问道：“呐，你要不要来我家？”

[六]

我们真的从来不是朋友。

所有旁观者都误解了。

工作后的一个周末，夕夜和季霄去附近的卖场储备食品和日用品，到了超市门口，看见有个狗贩在卖狗。那天也同样起了大风，七八只绝非名犬的小土狗顶多两个月大，每只又小又圆，因为怕冷挤成一团，瑟瑟发抖。

狗贩正是想利用众人的同情心把它们卖出去，添油加醋地说："自家的娃娃狗生的小狗没地方养，长不大的哦，两百块一只，卖得掉就卖，卖不掉只能回家炖狗肉吃了。"

围观的许多女孩心疼地蹲下身去抚摸它们。

连季霄一个大男生都移不开脚步，又觉得不好意思，便催着夕夜："你要不要买一只？"

夕夜一直站着没说话也没动作，许久之后才拉着季霄离开："我自己尚且颠沛流离，没有能力保证它的幸福。与其将来郁结悲伤难以释怀，不如一开始就不要产生交集。"

所谓责任，并不是谁都有心愿意担负。

而所谓命运，就是人各有路。

可是那么一个女生，恻隐之心泛滥起来天翻地覆，她纵有千般不是，但心软一瞬间，就敢于伸手牵起割舍不脱的羁绊纠缠，义无反顾担负起别人的一生，胜过了太多挂在嘴边流于表面的善意。

错的人是我。

原本在风里瑟瑟发抖，只有仰望才能看清这双伸向自己的手。

幼时遭诱拐，诱拐者又早逝，在领养家庭受到虐待，初二那年如果被送去福利机构，恐怕不仅不能完成学业，能否活下去都未为可知。

颜泽并非朋友，无法交心，可是她的善良改变了我的命运。

为什么忘了最初的感激，去与她攀比？

凭什么去与她攀比？

[七]

夕夜洗完澡，见颜泽盘腿坐在客厅沙发上敷面膜喝啤酒，忍不住笑。刚在新凉家见识了她贤惠的一面，以为她成熟了，不拘小节的任性又来复辟。

颜泽用脚趾都能猜到她在笑什么，白了她一眼，佯装不高兴："你真讨厌！刚才我洗澡的时候就想起你从以前就讨厌死了，从来不在卫生间放东西，每天洗漱完就把牙膏面霜收进包里，牙刷什么的也用便携式的旅游装，好像随时准备卷铺盖走掉一样，而且反衬得我特别不会收拾，害我老被我妈骂。"

夕夜在她身边坐下，话语间忽然没有一贯的凌人盛气："我确实没把这里当做家，这里也确实不是我的家，这是个事实。你爸妈一向客气地拿我当外人，你可能没觉察，我当然也记得他们的好。后来我出去读书，也时常想念他们，但却分明不是想念父母的感觉，而像是想念待我好的叔叔阿姨。"

"……你太敏感了。总是想很多，小心翼翼。"

"我不具备放肆的条件。"

颜泽沉吟半晌，又想起："和你在一起时最开心的大概是那次吧……唯一不小心翼翼的那次……你大概有点喝醉了。我们都有点醉，你、我……"犹豫了一秒，才说出那个名字，"卓安。"

夕夜刚到颜泽家不久，朋友三人都觉得新鲜，卓安也成天跨着区往颜泽家跑，晚了就索性不回家挤在一起打地铺。有天颜泽妈妈去国外探望她爸，成就了疯狂的女生之夜。三个初中生也就这么坐在地上偷喝起了啤酒，电视里放着《名侦探柯南》，但谁也没去看，一刻不停地又笑又闹。

当时美瞳刚刚上市，卓安就赶了时髦，另两个女生都没见过，觉得新奇，也抢她包里没拆过封的日抛来戴着玩。技术还那么不过关的年代，只记得无论眼球怎么转，美瞳都停在眼睛中间，看两侧时像有两个瞳孔，可怕地搞笑着。

后来玩得肚子饿了，颜泽用发卡挑开妈妈床头柜的锁，从里面偷拿了一百块钱，三个人溜出去吃辣酱油炸猪排和毛蟹年糕。半夜三更坐在通宵营业的中式快餐店里，围着油腻腻的桌子八卦卓安和当时是她男友的新凉。

颜泽说男生的名字听起来像“新娘”。

卓安争辩：“他才不娘，他最要好的哥们才娘呢，不过也蛮帅就是了。”

颜泽说：“介绍认识一下嘛。”

“‘你和夕夜要抢起来的’，”夕夜回忆道，“她当时这么断定。”

颜泽纠正：“搞错了，卓安说的是‘你和熙泽要抢起来的’，你当时已经改了名字，但她总是改不了口。”

两个人搜刮着各自记忆中的一切细节去拼凑被时光风化的曾经。

夕夜笑：“然后我好像回答的是：‘才不会，我们会石头剪刀布三局两胜。’”

不幸的季霄最初便以笑柄的形式进入了这些未曾谋面的女生们的话题中，相识是很久以后的事。

女生们回程也疯癫不减，一路唱歌，把自己当成SHE了，那时SHE也刚刚流行起来，第一张专辑中每首歌的歌词都被初中小女生背得烂熟。

只不过，在快到家门口的时候，卓安一个人唱了首日文歌，歌词谁也听不懂，她又不解释，笑着糊弄了过去，当时只觉得好听。

“我去了广播台做音乐节目，才有一次碰巧又听见那首歌，森田童子唱的，”夕夜叹了口气，抬起眼睑，用无奈的目光看向颜泽覆盖着煞白面膜的脸，“歌名是《如果我死了》……‘如果我死了，请你静静地忘记……’”

颜泽感到有冰凉的触觉从脊梁上缓慢地滑过去，半晌才说出话：“她好像总是在说她才不要活很久，什么‘人生不过如此，衰老的后半段没有意义’，什么‘温暖只有八分钟而已’……最后，终于如愿以偿了。”

“我一直以为‘慧极必伤，情深不寿’是我的宿命，其实是卓安的。孤芳自赏不是真聪明，能和三教九流都亲近才是真聪明，她能让我当她是知己，也能让你当她是知己，本身就是智慧。可是她逼迫自己藏起自己，是觉得委屈的。看得太透的人总是太容易消极到底。”

“如果没有卓安，你是不是永远不会和我做朋友？”

答案毋庸置疑，可夕夜说：“说不清。”

“我感觉你从来都瞧不起我。”

夕夜听颜泽这么说有点难过，不知该怎么继续话题。可颜泽又接着说：“我加了你微博关注你都没加我。”惹夕夜“噗嗤”一声笑起来，到底是颜泽，非常非常计较具体的鸡毛蒜皮。

“我又不知道你叫什么，怎么关注你？”

“我给你发了私信。”颜泽“哼哼”着生气，“你当然是看不到我的咯。知名DJ，那么多粉丝！”

夕夜简直拿她没辙："我不看私信的呀。行了你，怎么那么幼稚！明天加你，明天就加不行吗！"

说话时感到脊背上又蒙了一层汗，潮湿的衣服紧贴皮肤，捂着都有凉意。

女生下意识去揭背后的衣料，凉意却粘在皮肤上持久不退。明明刚洗过澡，夜深了天也并不热，又是怪事一桩。

[八]

夕夜转天就上了网去翻遍私信，颜泽果然先后给她发过三条，全没被理睬，按她的性情，难怪要生气。把颜泽的微博翻了几页，不是转双子座行动指南就是转想要的名牌包包，不是秀度假照片就是秀看过的娱乐大片电影票，看似丰富多彩却索然寡味。

就在夕夜想退出登录时，她突然被颜泽@的某个用户名吸引——"jxyxg"。

无法移开目光。

依据他和颜泽的对话内容判断，正是季霄。

夕夜把他的微博从头到尾看了一遍，又是另一种适意感受。

多半只有一句话，一张照片，一天只谈一件事，发一条微博。

说的并非"爱得痛伤得深"那么不着边际的哲言，只是最平常的口头语。照片也并非半只鞋半张脸那么虚无缥缈着的小清新，色彩浓郁的食物和生气盎然的人像洋溢着满满的幸福感。

夕夜连他每一条微博下面的评论也不放，一句一句细细斟酌过，妄想了解他生活的每个角落，最终得到的结论却是自己被排斥在他整个生活之外，他已经有了女友。

在一张迪士尼乐园拍的照片注解中，他写道：某人说这张显得我很man。

照片中只有季霄一人和卡通吉祥物。

评论中有个人说：因为你最近明显，连我天天在你身边都感觉到变化了。

顺着链接去到那个人的页面，看头像是个挺漂亮的女生，在同一天的微博中她发的是和季霄两人在迪士尼乐园的合影，下面她的朋友问："是你新男友吗？"回复是："对啊，帅吧？"

夕夜又忍不住翻遍她的微博，特别留意季霄给她的留言。在最初的微博里，她问季霄为什么老用这个用户名，邮箱也是这个名字。

季霄说是拼音缩写。

又追问，什么缩写？

回答是，"季霄游戏过"的拼音首字母。

什么叫"游戏过"啊？游戏人生吗？哈哈，那么现在认真了吗？那女生又问。

后来季霄没再继续对话。

微博用户名明明可以随时更换，重新注册一个邮箱也不费什么周折，夕夜不明白季霄这样把自己的名字拼音缩写嵌在其中又绝口不提的初衷，见他矢口否认，心里又涌起淡淡的失落。

回想起来，自己从来没做过他的女友，也从没和他去过游乐园之类的场所。

唯有一次，高中时代，和他一起穿过公园的经历。

时隔多年，细节清晰得连自己都诧异。

周六去外校参加辩论赛回来，在世纪公园站意外下错了地铁，上了地面才发现是海桐路，离学校还有好长距离。

有三种选择，再买票进站去继续乘地铁，或者绕过世纪公园走回学校，或者——也就是夕夜提议的选择——买门票穿过公园走回学校。

地铁票4元，公园门票10元，穿过公园的距离也未见比绕过公园的距离少。最不理想的一种选择，可季霄甚至没问为什么。

走的是7号门到2号门的笔直路线，一直沿着湖。

“呐，你知道么？这是我从小到大第一次进公园。”在长满苇草的浅滩边，女生说。

“我猜到了。颜泽跟我聊过一点关于你的身世。”

“要了解的话，不能直接来问我么？我可不喜欢被人背后议论。”

男生有些不好意思，连忙道歉：“对不起。”

两个人的口才都局限于赛场上的针锋相对，生活中反而不善于交际，很快就冷了场。

沉默着走了一小段，到了三岔口，季霄在门票背面的简图上找最佳路线，夕夜一时忘了拘谨，也跟着凑过去看，呼吸落在男生手背上如此明晰。

距离太近，男生抬起眼睑看她一眼，她才意识到，心里有点慌乱地退开。

微微红过脸。

又生怕对方看出自己红了脸，心跳声被放得无限大。

正在那时，身后突然响起了音乐声，含混着沙沙的水声，自后向前，温和地将两人漫过。

女生从男生微怔的脸上移开目光，回过头，不禁抬手掩嘴去掩饰阻拦不住的惊讶声。

浩瀚的喷泉和着音乐腾空而起，最高的足有五六十米，形态蜿蜒像水晶玻璃制的游龙，却又比水晶更具流动质感，水柱时而突兀消失，顶端开出的花朵在那瞬间便隔空凝滞形成定格。

绚烂阳光在其间嬉戏，七色的虹挂满半边天，远景处整面湖翠绿如玉，数不清的白色游船飘悬静止，像一幅油画托起动态的喷泉。

和高中北门前每天清晨的音乐喷泉不同，这是壮美到足够撼动人心留念一生的情景。

后来夕夜无数次返回那个公园去等候拍照。

在喷泉冲天而上的瞬间，不是少了澄澈万里的天空，就是少了璀璨耀眼的阳光，湖面不总是那么干净，七色彩虹也可遇不可求。

不知为什么，明明是相似场景，相似天气，那喷泉却看起来庸常无奇，甚至连高度也看起来不如从前，喷发的时长也似有缩减。

但你明白，不是喷泉的错，缺的也不是无法复制的天气。

而是曾经驻足于岔路，与自己几乎肩肘相触的那个少年，他不在身边。

公园里的游乐场依旧喧嚣，2号门外仍看得见那座你指给他看过的白色圆顶图书馆，民生路上高楼外你们一同好奇过研究过为什么修剪成字母“CIQ”形状的行道树也依然是当年造型。

深红色的校舍浓郁的绿化环绕较从前更美了，校园外的盲道改成了和校舍一样的深红色，你仰起头，头顶没有天空，校园里的树枝越过外墙，阴影覆盖了整条人行道。

你记得当年自己就站在这里对男生说：“我最喜欢这条路，不知道为什么能够感受到学校对我的保护，很有安全感。”

转个弯就能看见男生们经常活动的篮球场，球触地面的声响在整个夏季都经久不息。

人行道上原本幼小的树木也长高了，和校园里伸出的枝叶在天空里相接形成了圆拱状的棚顶。季霄就曾站在那里仰头笑："我倒是更喜欢这条路。"

七年后的夕夜独自靠在床边对着空留景色的照片回忆他那些与自己再无交集的笑容、语调，入睡前有泪水滑过面颊。

[九]

航班原本预计九点到上海，但晚了点，捱到十点才安全降落。

取到托运行李，季霄在出口就方向选择略略踌躇，立刻看见在左侧夸张招着手的颜泽，在走向她的过程中随后才看清她身后眯眼笑的新凉。

"欢迎回魔都！"女生落落大方地上前拥抱。

男生熟视无睹。

"怎么晚点这么久？小泽半小时之前就不耐烦了，刚才乱逛时已经意外撞倒了登机口那边的一排栏杆，我只好一直盯着她，怕再等下去她要弄出什么爆破事件。"

季霄只是笑，觉得这种无可奈何的表情从高中起就十分适合新凉。

新凉是开了车来接机的，在后备箱安置好行李启程往市区去，三个人一路有说有笑。估计颜泽平时坐这车的频率不低，车内小物件全是女孩的风格，连收音机频道也设定在女生偏爱的时尚音乐台。

新凉的失策在于上车没有立刻关掉自动开启的收音机，只是把音量微微调低，等到当时的娱乐播报结束后车厢里响起了季霄最熟悉的声音。

正说着话的颜泽突然打住。

新凉意识到什么，想抬手碰开关，又觉得季霄没有这种要求，反而太刻意。

独特的女声像一根丝线绕在寂静的车厢里，四处碰壁没有出路，只能在季霄颈上绕。

从第一个音节就被镇住的男生只觉得呼吸不平坦。

“……我昨晚做了一个梦。分开两年后，我想和曾经的爱人复合，却不知道怎样挽回他的心，他已经有了女友。我到了他曾住过的房间，地面积满了灰尘，情不自禁就开始打扫。正在这时他回来了，看见我不知该说什么，神情间似有感动，唇齿几经张合，刚要说出第一个字，我的闺蜜就跟着进门打断了，男生没有再看我，仿佛不忍心，介绍说现在他的交往对象是我的闺蜜。我忍着心痛佯装镇定问他们是什么时候开始交往的。回答说‘昨天’。然后闺蜜惊讶地问我为什么在帮他打扫房间，我不知该如何处置自己，尴尬地说‘我想他就快回来了，我记得他有洁癖’。旁人听起来可能感到可笑，可对于我而言，实在太心痛了，醒来后还止不住泪。直到今天我才明白自己错过了什么，梦是不合逻辑的，可就连梦中的错过也只在一念之间——昨天。如果两年前做过这个梦，我绝不会选择永别……”

女声减弱，音乐渐响。

不会忘记的，那是高中时最流行的一首歌，《时间》。

许多年，什么都改变，

声音在耳边，

怎能假装听不见。

曾经快乐无限，

为什么现在却视而不见。

借口无分无缘，

世上没有永恒誓言。

许多年，一切都改变，

身影在眼前，

泪眼模糊作笑颜。

曾经相知相恋，

为什么现在会对面无言。

一光年距离有多远，

真爱为何无法穿越时间。

“新凉，能不能绕道经过广播电台？我只想……”男生无端哽咽，“再看一眼。”

新凉什么也没说便打偏方向盘变了道。

[十]

幕布般密不透风的天空，无际的黑色使人心情沉重，看原本无奇的云也觉得撒了漫天的碎屑。好像连它们从哪一点开始崩裂破碎都能推测。

如果不是亲眼所见，简直不敢相信云与天也这么愤世嫉俗起来。

如果世界是神明创造的，无论他是置身哪个次元，张起这片天的心境只能是绝望悲恸。

夕夜更加恍惚，不知道自己是在哪个次元才看得如此真切。

俯瞰的视角。

云天竟然都在脚下。

她看见季霄从停住的车里走出来，关上车门，面朝广播电台的高楼站定。

她又看见刚做完节目的自己小心翼翼地盯着台阶直到下到最后一级地面。

她就在那里，行动自如。那么漂浮在半空俯瞰众生的又是谁?

地面上的夕夜面无表情地抬起头，目光的终点指向并不宽阔的街道对面的男生，他站在那里一动不动，像个幻象，但他的瞳孔因反射着银色月光而真实地闪烁着，好似一片海洋。

当她迎过男生略带同情的目光后，剧烈的疼痛愈发从胸口扩散，难以抑制。

这种痛感猛烈如阳光，在最接近光源的地方飞翔，烈焰灼伤了翅膀。

整个视界里，植物、建筑、街道、天空，全都被强大的热浪掀起，一边焚烧一边围着两人连线的中心旋转，越转越快，在疾速的驰行中腾空化成烟灰，再变成白雪簌簌下降。

静止不动的只有彼此。

夕夜感到什么东西从半空摔落下来，以满目疮痍的形态，瑟瑟蜷成一团，嵌回了自己的胸腔。

在季霄海一样深邃的眼睛里，她终于找到了那个失去了一切的自己。

甚至无力抬手去掩面。

就在一瞬间嚎啕大哭起来。

如果没有你，即便阒静沉淀千年，也无法心平气和提及的“曾经”。

万千晴雨，铭记一生的却只有曾有你的须臾。

唯此一幅索骥之图，告诉我怎么能够视绝望为幻觉。

在无边无际的水域中，她看见黑色的夜从边缘开始溶解，被白茫茫一片尚未燃尽的羽毛安静地覆盖……

接踵而至的是，全世界的光。

【全书完】

后记

The Weather with You

写现实是需要勇气的。

我害怕大亲友们（注：日语中的死党）来看《曾有你的天气》，总有那么一两件事能够被她们认出，只需要那么三四个人坐在一起聊聊天就能拼凑出我很长一段生活轨迹的全貌。发生在夕夜、颜泽、亚弥、秦浅、黎静颖、夏树身边的事，它们是拆解后筛选后乱序后重新组装的，我的生活。

也不知道为什么，现实中那么活色生香的事件，经了我的笔，全变得清新唯美，每个人的脸上都好像罩着柔光。

或许大家就是坚信小说必定是虚构，夏茗悠就是书写温暖的治愈的文艺爱情故事的作者。或许我的生活本就有点令人难以置信。

完稿的最后一天，我重新去走了一遍文中夕夜和季霄走过的从地铁站穿过公园到学校的路。

许多年前我确实和某人一起走在这里，停在岔路看门票背后的指示图，音乐喷泉突然就开始在身后造势，回头的一瞬间，真是感动得要流泪了。

许多年后我仍站在远处等着那喷泉在规定的时间冲天而起，它却变得如此弱如此小如此微不足道。说是我的身高变化造成的视觉差异那也太离谱了，果然是身边的人不同了吧。可当我把这种真实的感受写下来，想必有些读者看到此处会忍不住笑——怎么这么主观地文艺起来了。

这真是让人觉得很无力的一件事。

更让人觉得无力的是与小说并行的现实。

写《8分钟的温暖》时我高二，小说中人物处于高一。写《曾有你的天气》时我大四到研一，小说中人物处于大四到就业。注定了这个系列是最贴近我现实生活的。

但是，现实中的原型们全都朝着我原先想象不到的方向发展。

现实中身边所有的高中生恋人全都分手了，一对都不剩，这让我刻意在小说里编一个有情人终成眷属非常违心。我自己已经不相信这个了，写起来就非常难受，以至于这个长篇拖稿了一整年。

也许大部分读者只希望看嘻嘻哈哈搞笑一通的小说，偏爱轻松快乐有什么错呢？但我自己在现实性合理性方面有偏好，必须自圆其说，有一些心结要解决。

所以，当你们拿到《曾有你的天气》，可能会觉得结局有点难懂。不是为了卖弄技巧故意造成大家阅读障碍的那种难懂，而是为了处理这个既让你们满意又让我释怀的矛盾。

第十话第十小节那超现实的天崩地裂情景显然是梦境，相信大家都不会有疑义。关键是这梦境的起点在哪里。

一种理解是第十话的九、十小节是一个梦境。心有悲恸的夕夜做了个季霄回国后听见自己讲述梦境的节目赶来与她相见的梦。那么就成了梦境嵌套梦境。可以说，这个结局虽然悲伤，但比较脚踏实地。重要的是，对很多新泽fans来说，只要看到新凉颜泽和好如初就心满意足了，夕夜季霄是什么结局，他们并没有那么在意。

另一种理解是整个第十话是一个梦境。

第九话结尾收在夕夜入睡的瞬间，而第十话从头到尾都充满不合理的小细节，十月盛开的油菜花、在门口种满油菜花的酒店举行婚礼、不能自由落体而是斜着渗进头发里的眼泪、超市里莫名其妙的疑似地震、安排在戏院的相亲、擅长家务的颜泽、洗澡洗不退的汗水……梦境是很难做到彻底现实主义的。有时因为太心痛想醒过来，潜意识会指使颜泽突然问一句“怎么你后来也没去电视台”。梦境是有记忆构建的，夕夜睡着前从未在电视台工作过，怎么可能凭空想象出自己未来的工作环境？所以在这一瞬，梦境差点就垮塌了。

这么一来，又成了梦境中嵌套梦境。

夕夜梦见自己做出离开季霄的决定，而后的生活一直心力交瘁举步维艰，怀着强烈的悔恨在第八节最后做了第九节里在电台讲述的那个梦，这个梦虽然醒来，外层的梦境却在继续，在这个次元中季霄回国，在车里听见她的节目，去见她。在整个梦境变得超现实的时候，她终于见到季霄——唯此一幅索骥之图，告诉我怎么能够视绝望为幻觉。因此得以醒来。

醒来后的夕夜还是面临选择，她会怎么做呢？我想电台节目那一节的伏笔已经很明晰了——如果两年前做过这个梦，我绝不会选择永别。

这个结局看似乐观者的最佳选择，可真是这样吗？

所谓的大团圆，颜泽与新凉、秦浅及其男友，都有情人终成眷属，可都是在夕夜的梦境中终成眷属，也可以说，是在每一位选择相信这结局的读者的幻想里终成眷属。

如果回溯到梦境开始之前，他们的关系其实都是悬而未决的，甚至是不容乐观的。

季霄对夕夜说过，你坚信你在电视中看见风间夏树在一起固然好，但据我掌握的信息分析，这种可能性极小。

而就算是大团圆，也没有完美的大团圆。在夕夜的梦境中，她只能给亚弥安排一个路人甲，强行说服自己去相信她也很幸福。

她没有办法违心地把季霄安排给亚弥。现实也是如此，每段恋情的背后说不定都藏着另一些人的遗憾。而那些人，注定要舍弃“曾有你的天气”，走出去迎接一片新的天空，一段新的生活。

对于这个有点费解的结局，就做这么多解释。

现实一直不以人的意志为转移，你能选择的只能是信与不信。

这本书需要鸣谢的是给我足够空间与时间反复修改的编辑暖暖，从去年至今耐心等待的读者们，以及我自己。

这本书要送给一个对我来说至为重要的人，今天是他的生日，祝幸福快乐。

于复旦邯郸校区光华楼

二零一一年五月三十一日